ТРУДНЫЙ ВЫБОР

РОМАН

МОСКВА
ЭКСМО-ПРЕСС
2000

УДК 820(73)
ББК 84(7США)
Б 87

Sandra BROWN
A KISS REMEMBERED

Перевод с английского *Е. Тюрниковой*

Оформление художника *Е. Савченко*

Серия основана в 2000 году

Браун С.
Б 87   Трудный выбор: Роман / Пер. с англ. Е. Тюрниковой. — М.: Изд-во ЭКСМО-Пресс, 2000. — 320 с.

ISBN 5-04-005807-1

Неотразимое обаяние и скандальная известность преподавателя местного университета Гранта Чепмена были главной темой сплетен в небольшом городке. Но студентка выпускного курса Шелли Браунинг хранила о Чепмене совсем иные воспоминания. Спустя годы, едва переступив порог его аудитории, она словно вновь ощутила на своих губах его жаркий поцелуй, перевернувший когда-то ее жизнь. И вновь они не смогли воспротивиться зову страсти, но поддаться ему означало пойти против всех установленных правил. Но теперь ни он, ни она не намерены были жить по правилам!

УДК 820(73)
ББК 84(7США)

ISBN 5-04-005807-1

ГЛАВА 1

Она специально села на последний ряд в аудитории, чтобы как следует рассмотреть его, не привлекая к себе внимания. Удивительно, но он почти не изменился. Эти десять лет, что прошли со дня их последней встречи, лишь подчеркнули его мужественную привлекательность, которую она так часто вспоминала. В свои двадцать с небольшим он обещал стать магнетически неотразимым, сильным, обаятельным человеком; и вот теперь, насколько она могла судить, спустя десять лет он полностью сдержал обещание.

Ручка Шелли слегка поскрипывала от усердия, с которым девушка записывала в тетрадь его лекцию. Шла всего вторая неделя осеннего семестра, а он уже начал разбирать материал, который собирался давать на экзаменах в конце семестра, сразу перед Рождеством. Аудитория слушала его лекции с сосредоточенным вниманием, боясь упустить даже слово.

Курс политических наук читался в одном из старейших зданий университетского городка, чьи увитые плющом старые стены придавали университету на Восточном побережье значимость и достоинство. Сам возраст здания, его деревянные полы, высокие потолки, огромные пустынные коридоры, навевающие тишину, — все придавало этому месту атмосферу строгой сдержанности, которая невольно передавалась и студентам, вызывая в них чувство благоговения.

Преподаватель Грант Чепмен читал лекцию, стоя перед аудиторией, опершись обеими руками на массивный дубовый стол кафедры. Невольно разглядывая напряженные мускулы рук мистера Чепмена, Шелли думала, что он так же крепок и мускулист, как и десять лет назад. Много юных сердец трепетало от восторга, когда он играл за факультетскую баскетбольную команду против сборной университета. Одетый в спортивную форму, Грант Чепмен сводил с ума всех девчонок из Вэлли-Хай-Скул. В том числе, конечно же, и ее, Шелли Броунинг. Последние десять лет лишь сделали еще рельефнее его великолепную мускулатуру, придав ей зрелую силу и мощь.

О нелегких прожитых годах говорили лишь отдельные серебряные ниточки, появившиеся в темных, по-прежнему длинных волосах, небрежно зачесанных назад. В Вэлли-Хай-Скул придерживались очень строгих правил, которые категорически запрещали носить длинные волосы, и молодой учитель по основам гражданского права оказался в ряду самых злостных нарушителей этих правил.

В памяти Шелли очень живо и ярко вспыхнули воспоминания о том дне, когда она впервые услышала о Гранте Чепмене. Был как раз первый день, когда она пришла в школу после летних каникул.

— Шелли, Шелли, ты бы видела нашего нового учителя по праву, это просто мечта! — Лицо ее подруги раскраснелось от волнения, она подбежала к Шелли, горя нетерпением поделиться с ней такой великолепной новостью. — Он просто сногсшибательно красив! И он молод! Занятия по праву — это будет что-то потрясающее! — Подруга чуть перевела дух и помчалась дальше поделиться с кем-нибудь еще невероятной, на ее взгляд, новостью о том, как им повезло. — Да, его зовут мистер Чепмен! — обернувшись, крикнула она уже издалека.

И вот сейчас Шелли слушала его глубокий, богатый интонациями голос — он отвечал на какой-то вопрос студента. Но смысл его обстоятельного ответа так же не доходил до нее, как и заданный перед этим вопрос, она просто вслушивалась в звучание этого голоса, ловя все его оттенки. Шелли сидела, закрыв глаза, и вспоминала, как она впервые услышала этот низкий, звучный голос:

— Мисс Броунинг, Шелли, вы здесь?

Ее сердце сразу же ушло в пятки. Кому же хочется, чтобы его вызывали к доске в самый первый день после каникул. Двадцать пар удивленных глаз с любопытством уставились на нее. Шелли подняла чуть дрожащую руку.

— Я здесь, сэр.

— Мисс Броунинг, вы уже успели потерять свои гимнастические шорты. Мисс Вирджил просила вам передать, что вы можете забрать их в женской раздевалке.

Класс мгновенно взорвался, послышались язвительные шуточки, перешептывание, смех и даже свист. Шелли с пунцовым от смущения лицом, запинаясь, пробормотала благодарность своему новому учителю, готовая провалиться сквозь землю. Должно быть, он решил, что она законченная растеряха. Забавно, но его мнение было для нее гораздо важнее, чем отношение ее сверстников.

В конце дня, после уроков, когда она выходила из класса, он остановил ее возле двери.

— Извините, если я смутил вас, поставив в затруднительное положение, — сказал он извиняющимся тоном.

У стоящих рядом подруг глаза стали круглыми от изумления и зависти.

— Ничего, это ерунда, — робко ответила Шелли, боясь поднять на него глаза.

— Нет, не ерунда. За свою ошибку я дам вам пять дополнительных очков на первом экзамене.

Впрочем, она никогда не получила этих дополнительных очков, потому что набрала тысячу очков на первом экзамене, а также и на всех последующих. Гражданское право стало ее любимым предметом в этом семестре.

— Вы говорите о том, что было до Вьетнама или после? — спрашивал в это время у мистера Чепмена студент, которого волновал вопрос влияния общественного мнения на решения президента.

Шелли вернулась к действительности. Он, конечно, никогда не вспоминал о Шелли Броунинг и ее потерянных гимнастических шортах. Она сомневалась, помнил ли он вообще те четыре месяца, когда преподавал в Вэлли-Хай-Скул. Скорее всего нет, особенно если учесть, через что ему пришлось пройти позже. Нельзя преодолеть столь сложный путь, получив один из самых высоких постов в конгрессе и став помощником сенатора, оставаясь при этом сентиментальным, чувствительным человеком. Нельзя пережить публичный скандал, который выпал на долю Гранта Чепмена, и помнить при этом о событиях, произошедших многие годы назад в небольшом сельском местечке, сыгравшем столь незначительную роль в его яркой, богатой событиями жизни.

Последнее время она часто видела его по телевизору, когда репортеры буквально травили его, желая получить комментарии по поводу скандала, много дней будоражившего общественные круги Вашингтона. Она внимательно рассматривала его фотографии в газетах, часто сопровождавшие статьи, более или менее подробно освещавшие эти события. Но даже по этим газетным, не очень выразительным фотографиям она не могла заметить никаких следов времени на красивом мужественном лице, которое казалось ей совершенным и не давало забыть о себе все эти долгие годы.

Шелли была уверена, что он бы ее не узнал. В шестнадцать лет она была тоненькой и неуклюжей, как жеребенок. Сейчас, не потеряв стройности, она стала мягче, женственней, со зрелыми женскими формами. За эти прошедшие годы с ее лица полностью исчезла детская пухлость, выявив необычный овал лица с высокими скулами, привлекавшими внимание к ее дымчато-голубым глазам.

Безвозвратно ушла в прошлое длинная челка из школьных лет. Теперь ее волосы были откинуты назад, оставляя открытым лоб, а также тонкие, красиво изогнутые брови. Естественная брюнетка, она получила в подарок от природы великолепные тяжелые густые волосы, которые рассыпались по ее плечам темной волной, сверкающей в солнечных лучах, словно дорогое вино.

Канула в прошлое не только сама круглолицая девочка в школьной форме. Исчезли ее невинность и мечтательность, и она больше не верила в идеалы. Та женщина, что пришла ей на смену, слишком хорошо сознавала, что собой представлял этот жестокий мир с его эгоизмом и несправедливостью. И Грант Чепмен, без сомнения, также кое-что узнал об этом. Они оба уже не были теми людьми, какими были десять лет назад, и Шелли с некоторым недоумением спрашивала себя, зачем же она все-таки записалась в его группу.

— В то время была принята во внимание позиция президента Джонсона, — говорил он.

Шелли взглянула на свои часы. Оставалось всего пятнадцать минут до конца лекции, а она умудрилась написать в тетради всего несколько строк. Если она и дальше будет так небрежно относиться к занятиям, ей вряд ли удастся добиться успехов в этом курсе политических наук, как когда-то в юные годы, когда Грант Чепмен читал у них курс гражданского права в Вэлли-Хай-Скул.

В следующий раз она постарается слушать более прилежно, пообещала себе Шелли и тут же унеслась воспоминаниями в далекий ветреный день, после первой в том сезоне бури с дождем и снегом.

— Не согласились бы вы помочь мне? — спросил он ее тогда. — Мне нужно разобрать кое-какие бумаги и документы. Быть может, вы смогли бы заниматься этим после занятий, скажем, пару раз в неделю?

На Шелли была длинная спортивная куртка, и она, сжав от волнения руки в кулаки, глубоко засунула их в карманы. Мистер Чепмен остановил ее во дворе между зданиями учебного корпуса и гимнастического зала. Порывы сильного ветра трепали его пышные волосы, чересчур длинные по нелепым правилам этого учебного заведения. Одетый в легкий, спортивного покроя плащ, он поднял воротник, ссутулился, стараясь повернуться спиной к северному ледяному ветру.

— Конечно, если вы не согласны, вам стоит только сказать...

— Нет, нет, — поспешила она его заверить, облизывая губы и надеясь, что не очень заметно, как они потрескались и пересохли от ветра. — Я с удовольствием вам помогу. Если вы думаете, что я справлюсь, конечно...

— Вы моя лучшая ученица. Последний раз вы подготовили великолепный доклад о судейской системе.

— Спасибо. — Она очень волновалась и про себя недоумевала, отчего так колотится ее сердце. Ведь это просто учитель, говорила она себе, что ты дрожишь так, дурочка. Но, конечно, если быть совсем честной, это был для нее не просто учитель.

— Если бы вы смогли разобрать контрольные работы по темам, то я бы занялся проверкой ваших докладов. Это позволило бы мне освободить несколько часов каждый вечер.

Ей бы очень хотелось знать, что он делает вечерами. Встречается с женщиной? Это была тема, по поводу которой строились самые разные догадки, но никто ничего не знал. В городе, где бы он ни появлялся, он всегда был один.

Однажды вечером, когда они всей семьей отправились пообедать в кафе, они встретили его там. Одного. Когда он заговорил с ней, она чуть не умерла от волнения. Отчаянно смущаясь и краснея, она, запинаясь, представила его родителям, и он поднялся из-за стола, чтобы пожать руку ее отцу. Как только они сели, ее маленький брат пролил молоко, и Шелли от стыда готова была прибить его собственными руками. Когда она вновь решилась взглянуть в ту сторону, где сидел мистер Чепмен, его уже там не было — он ушел.

— Хорошо, я согласна. Когда мне прийти?

Он прищурил глаза от яркого солнца, внезапно показавшегося из-за тяжелых серых облаков. Шелли никогда не удавалось как следует рассмотреть, какого цвета его глаза, серые или зеленые, или, может быть, что-то среднее, но ей очень нравилось, когда он так щурился и его темные ресницы слегка загибались кверху.

— Это вы должны сказать мне, когда вы сможете, — засмеялся он.

— Ну, в четверг у нас собирается группа поддержки, потому что на пятницу запланировано собрание. — Идиотка! Зачем она это говорит, будто он сам не знает, что будет в пятницу! — А во вторник у меня занятия по музыке. — Какое ему до этого дело, Шелли, опомнись! — Значит, лучше всего понедельник и среда.

— Вот и замечательно, — ответил он, продолжая улыбаться. — Брр, ну и холод! Может быть, лучше войдем внутрь?

Она едва справлялась со своими дрожащими, непослушными ногами, когда он неожиданно взял ее под руку и проводил до двери учебного корпуса. В ту минуту, когда тяжелая дверь закрылась за ними, Шелли подумала, что она едва не упала в обморок только оттого, что он дотронулся до нее. Она никогда и ни за что не расскажет о том, что произошло, никому из своих подруг! Это была слишком драгоценная для нее тайна, чтобы кому-нибудь ее доверить.

Тихие и спокойные часы, проведенные в его классной комнате, незаметно стали для нее тем стержнем, вокруг которого вращалась теперь вся ее жизнь, превратившаяся в сплошное и мучительное ожидание. Она страдала и тосковала в те дни, когда не надо было идти к нему, а в те дни, когда она должна была помогать ему в работе, она с отчаянным нетерпением ждала последнего звонка, возвещавшего о конце занятий. Но как только бралась за ручку его двери, стремительность и решимость тут же покидали ее, и она едва могла вздохнуть от волнения и робко стучала в дверь. Иногда его не было, и тогда она находила на столе кипу бумаг с подробными инструкциями. Она занималась сортировкой работ своих одноклассников с таким старанием и прилежностью, с какой ничего и никогда еще не делала в своей жизни. И все это время она ждала, когда он придет. Если он позже присоединялся к ней, то всегда приносил бутылочку газированной воды. Ради этого момента, когда он появится и одарит ее теплотой своей улыбки, она готова была ждать его целую жизнь.

Как-то они сидели в комнате, каждый за своим столом, и она отмечала разобранные бумаги красным карандашом, который он ей вручил. Через какое-то время он поднялся из-за своего стола, где читал неразборчивые сочинения ее сверстников, и стянул через голову свой пушистый свитер.

— Мне кажется, здесь слишком жарко. Школа совсем не принимает участия в кампании по сохранению энергии.

В то время она даже не удивилась этой его патриотической сознательности, до такой степени она была им ослеплена. Он сцепил пальцы в замок и, вывернув руки, поднял их высоко над головой, потянулся всем телом, выгибая спину. Шелли как завороженная наблюдала за игрой его великолепных мускулов, рельефно проступивших под мягкой тканью тонкой рубашки. Затем он глубоко вдохнул и легко, свободно выдохнул, опуская руки. Он расправил плечи, сбрасывая с них напряжение, и широко улыбнулся, как улыбаются люди, умеющие радоваться жизни.

Шелли выронила карандаш из задрожавших и ставших внезапно непослушными пальцев. Девушку охватил удушающий жар, тело горело, и ей стало трудно дышать. Но она прекрасно понимала, что это произошло вовсе не от натопленной классной комнаты.

В этот день она ушла совершенно растерянная и ошеломленная. Внезапно возникшая настойчивая потребность бежать прочь от него вдруг оказалась гораздо сильнее, чем желание быть с ним рядом. И в то же время она понимала, что бежать от нахлынувших на нее эмоций было бесполезно, потому что это смятение возникло в ее собственной душе, а от себя убежать еще никому не удавалось. Все это было так ново для нее, необычно и непонятно: ее прошлый опыт не мог ей помочь разобраться в новых чувствах. И только гораздо позже она поняла, что произошло с ней в тот памятный для нее день — она испытала желание близости... и испугалась этого желания.

* * *

— Итак, на сегодня все. До свидания, — сказал мистер Чепмен, когда звонок возвестил о конце лекции. — Ах да... миссис Робинс, будьте любезны, подойдите к моему столу.

История повторялась.

Когда он попросил ее об этом, Шелли едва не выронила из рук книги. Все сорок студентов, не столь любопытные, как ее одноклассники из Пошман-Вэлли, выпорхнули из аудитории — им не терпелось поскорее выкурить первую за час с лишним сигарету.

Опустив голову, Шелли стала сосредоточенно пробираться по лабиринту из столов. Краем глаза она заметила, как аудиторию покинул последний студент, небрежно хлопнув дверью, и с трудом подавила свой безумный порыв — попросить оставить дверь открытой.

Остановившись в нескольких метрах от стола мистера Чепмена, Шелли впервые за десять лет встретилась взглядом с Грантом Чепменом.

— Здравствуй, Шелли.

У нее перехватило дыхание. Во всяком случае, она почувствовала, как горло сдавил комок.

— Здравствуйте, мистер Чепмен.

Он едва не рассмеялся. Его чувственные губы изогнулись в улыбке, однако глаза испытующе скользили по лицу Шелли, отмечая красивые длинные волосы, безотчетно ранимый взгляд, изящный носик, губы... На ее губах взгляд Гранта задержался надолго, и Шелли не выдержала — нервно облизнула их и тут же обругала себя за это.

В комнате повисло опасное молчание. Грант вышел из-за стола и остановился прямо перед Шелли.

— Я... я думала... вы меня не узнаете.

— Я узнал тебя в первый же день, едва ты вошла в класс. — Он стоял так близко, и в голосе его прорывалась хрипотца. Во время лекций голос Гранта утрачивал интимную окраску, от которой сейчас Шелли пришла в полнейшее смятение. — И сразу же начал сомневаться: а вдруг ты так и не поздороваешься со мной за целый семестр?

Десяти прошедших лет как не бывало! От этого легкого поддразнивания Шелли вдруг почувствовала себя столь же юной и неопытной, как в первый день их знакомства.

— Мне не хотелось вас смущать — заставлять мучительно пытаться вспомнить меня. Я боялась поставить вас в неловкое положение.

— Ценю твою заботу, только это было лишним. Я хорошо тебя помню. — Грант не отводил взгляда от ее лица, и Шелли невольно подумала: «Интересно, как он считает, прошедшие годы прибавили мне привлекательности или же наоборот?» Сама она не чувствовала, похорошела она или подурнела; знала лишь, что изменилась и сейчас уже не та девочка, которая столь усердно проверяла для него письменные работы.

Догадывался ли он когда-нибудь о ее страстной влюбленности? Обсуждал ли это с какой-нибудь своей подружкой? «Ты бы только ее видела, сидит вся из себя такая аккуратная и правильная, а ладошки потеют! Едва я рукой поведу, она подскакивает, будто напуганный кролик». В этот момент Шелли представляла, как он с притворным сожалением покачивает головой и смеется.

— Шелли? — Голос Гранта вырвал ее из невеселых раздумий.

— Да? — с трудом выдавила она. Господи, почему же так не хватает воздуха?

— Я спросил, давно ли ты миссис Робинс.

— А-а... семь лет. Но вообще-то последние два года я уже не миссис Робинс.

Его густые брови приподнялись в немом вопросе.

— Это долгая и скучная история. Мы с доктором Робинсом расстались два года назад. Тогда-то я и решила продолжить учебу.

— Но это последний курс.

Облачись любой другой мужчина в потертые джинсы, ковбойские ботинки и спортивный пиджак, он бы смахивал на бездарное подражание кинозвезде, но Грант Чепмен выглядел сногсшибательно. Может быть, виной тому был расстегнутый воротник его клетчатой рубашки, открывавший темную поросль на груди?

— Ну да. — Шелли заставила себя отвести глаза от ворота его рубашки. — Я и учусь на последнем курсе.

Она и не подозревала, как соблазнительно выглядит ее улыбка. Последние несколько лет поводов для веселья было маловато, но стоило ей улыбнуться, как усталость — следствие безрадостной жизни — слетала с ее лица, а в уголках рта появлялись крохотные ямочки.

Это преображение, очевидно, и заворожило Гранта Чепмена, потому что отозвался он не сразу.

— Ты была такой прилежной ученицей — я-то думал, что после окончания школы ты сразу же поступишь в колледж.

— Так и было. Я поступила в университет Оклахомы, но... — Шелли запнулась, вспомнив свой первый семестр и их знакомство с Дэрилом Робинсом. — Так уж получилось, — нескладно закончила она.

— Как дела в Пошман-Вэлли? Я там так и не был с тех самых пор, как уехал. Боже правый, прошло ведь целых...

— Десять лет, — поспешно вставила Шелли и тут же прикусила язык. Ведет себя, как примерная девочка, которой не терпится выпалить учителю правильный ответ. — Что-то вроде этого, — добавила она нарочито небрежно.

— Ну да, ведь я уехал в Вашингтон, даже не дождавшись окончания учебного года.

Шелли отвела взгляд. О его отъезде она говорить не могла. Он-то не вспомнит, а она все десять лет пыталась забыть.

— В Пошман-Вэлли ничего не меняется. Я довольно часто там бываю — навещаю родителей, они по-прежнему там живут. Мой брат преподает математику и ведет футбольную секцию в средней школе.

— Серьезно? — Грант рассмеялся.

— Да. Он женат, у него двое детей. — Шелли поудобнее перехватила тяжелую кипу книг, прижав их к груди. Грант тотчас забрал их у нее и положил на стол перед собой. Теперь Шелли стало нечем занять руки, и она неуклюже сложила их на животе.

— Ты живешь здесь, в Седарвуде?

— Да. Сняла небольшой домик.

— В старинном стиле?

— Откуда вы знаете?

— Здесь их великое множество. Это вообще очень затейливый городок. Напоминает мне Джорджтаун — я там жил последние несколько лет, пока работал в Вашингтоне.

— А-а... — Ей было чертовски не по себе. Грант водил дружбу с цветом общества, сильными мира сего. Какой же провинциалкой она, должно быть, ему видится.

— Не хочу вас задерживать... — Шелли потянулась к своим книгам.

— А ты и не задерживаешь. На сегодня у меня все. Вообще-то я собирался выпить где-нибудь чашечку кофе. Составишь компанию?

Сердце ее неистово забилось.

— Нет, спасибо, мистер Чепмен, я...

— Право, Шелли, — прервал ее Грант, — почему бы тебе не называть меня по имени? Ведь ты уже не школьница.

— Но вы по-прежнему мой учитель, — напомнила ему Шелли.

— И я очень этому рад. Ты — украшение моего класса, причем сейчас — больше, чем прежде. — Лучше бы он посмеялся над ней, и то легче было бы пережить, нежели этот его внимательный, испытующий взгляд. — Но только, ради бога, не воспринимай меня как профессора колледжа. Слово «профессор» ассоциируется у меня с рассеянным и всклокоченным седым старичком, судорожно роющимся в карманах своего мешковатого пальто в поисках очков, которые торчат у него на лбу.

Она невольно рассмеялась:

— Вам бы следовало преподавать литературное творчество. Очень живой портрет нарисовали.

— Значит, ты меня поняла. Так что впредь, пожалуйста, называй меня Грантом.

— Постараюсь, — робко пообещала она.

— Постарайся прямо сейчас.

Шелли почувствовала себя трехлетней малышкой, которой впервые предстояло прочесть наизусть стихотворение в кругу собравшихся гостей родителей.

— Но я...

— Попробуй, — не отставал он.

— Хорошо, — она вздохнула, — Грант.

Это оказалось легче, чем она предполагала.

— Грант, Грант... — повторила Шелли.

— Ну вот! Видишь, насколько лучше? Так как насчет кофе? У тебя больше не будет сегодня занятий? Хотя, даже если и есть, ты все равно опоздала, так что...

Она все еще колебалась:

— Ну, я не...

— Если ты, конечно, не боишься показаться вместе со мной. — Тон его изменился, и Шелли тотчас вскинула глаза. Произнесены эти слова были спокойно, но от Шелли не ускользнула скрывавшаяся за ними горечь.

Она тотчас поняла его:

— Вы имеете в виду... это из-за того, что случилось в Вашингтоне? — Когда в ответ Грант лишь молча устремил на нее пристальный взгляд своих серо-зеленых глаз, Шелли решительно покачала головой. — Нет-нет, конечно нет, мистер... Грант. Это здесь ни при чем.

Она немного успокоилась, когда увидела в его глазах искорки понимания и доверия.

— Отлично. — Он машинально провел рукой по волосам. — Ну, пошли пить кофе.

Если бы выражение его глаз и этот мальчишеский жест не убедили Шелли принять предложение, это сделала бы настойчивость, звучащая в его словах.

— Ладно, — услышала она собственный голос, прежде чем успела принять решение.

Улыбнувшись, Грант подхватил со стола ее книги, собственную папку с бумагами и легонько подтолкнул Шелли к двери. На пороге он остановился и, невзначай коснувшись спины девушки, протянул руку, чтобы выключить свет. Шелли затаила дыхание.

На мгновение его ладонь задержалась на ее шее, затем скользнула к талии. Хотя жест этот был не более чем проявление обычной галантности, сквозь свитер Шелли остро ощущала прикосновение Гранта.

В кафе, в этом уютном микроклимате университетского городка, было шумно, дымно и полно народу. Из динамика, предусмотрительно закрепленного на потолке, жаловался на одиночество популярный шоумен. Официанты с красными атласными повязками на длинных белых рукавах только успевали подносить громадные кружки с пивом к столикам. Здесь царил дух взаимопонимания и полного единения: образцово-показательные отпрыски состоятельных родителей и активистки феминистского клуба, бородатые интеллектуалы и мускулистые спортсмены — все сплавились в единую веселую массу.

Взяв Шелли под руку, Грант увлек ее к уединенному столику в тускло освещенном углу кафе. Когда они уселись, он наклонился через стол и театральным шепотом произнес:

— Надеюсь, мне не придется предъявлять здесь свои документы. — Увидев ее озадаченное лицо, он пояснил: — Вряд ли сюда пускают лиц старше тридцати. — А когда Шелли рассмеялась, он хлопнул себя ладонью по лбу: — Боже, да тебе ведь и тридцати нет, верно? Вот, значит, почему я все сильнее и сильнее ощущаю в себе сходство с нашим убеленным сединами, выжившим из ума профессором!

Когда мимо, рассекая воздух, пронесся официант, Гранту удалось, задержав его на две секунды, успеть сделать заказ:

— Два кофе.

— Со сливками? — бросил через плечо ускользающий официант.

— Со сливками? — переспросил Грант у Шелли. Она кивнула.

— Со сливками! — прокричал он исчезнувшему официанту. — Когда мы с тобой виделись в прошлый раз, ты, наверное, еще не доросла до кофе? — с улыбкой поинтересовался он.

Шелли машинально покачала головой, даже не прислушиваясь к вопросу. Она с трудом заставляла себя не пялиться на Гранта. Волосы его, слегка растрепанные ветром, выглядели необычайно привлекательно. Треугольный ворот рубашки по-прежнему притягивал ее взгляд. Дэрил Робинс, ее бывший муж, считал себя воплощением мужественности, однако его грудь украшало всего несколько бледных волосков, а сейчас ее взгляду предстал настоящий лес, произрастающий на обветренной загорелой коже. Желание протянуть руку и дотронуться до груди Гранта было столь велико, что Шелли пришлось отвести глаза.

Посмотрев вокруг, она утвердилась в своих подозрениях. Студентки разглядывали Гранта с нескрываемым интересом, свойственным современным женщинам. Сама же она вызывала их холодное одобрение. Грант Чепмен был местной знаменитостью, от его имени веяло дурной славой, возможно, даже опасностью, а подобная репутация не может оставить равнодушной ни одну женщину. Шелли старалась не обращать внимания на всплеск интереса, вызванного их появлением, но бесцеремонные взгляды все больше смущали ее.

— Ничего, привыкнешь, — негромко заметил Грант.

— А вы привыкли?

— Не совсем. *Привыкнуть* к этому на самом деле нельзя, просто со временем можно научиться не обращать на это внимания. Сие есть неизбежное следствие того, что твое лицо ежедневно на протяжении нескольких месяцев мелькает в телевизионных новостях. Неважно, хороший ты или плохой, преступник или жертва, виновен или нет, — все равно ты становишься объектом разговоров и обретаешь, прямо скажем, прискорбную известность. И что бы ты ни делал, любой твой шаг становится достоянием общества.

Она не проронила ни слова, пока взмыленный официант не принес им кофе. Добавив сливок и неторопливо помешав в чашке ложечкой, Шелли мягко заметила:

— Они постепенно привыкнут к вашему присутствию. Прошлой весной известие, что с осени вы начнете читать лекции на факультете, распространилось с быстротой молнии. Но стоит вам провести здесь некоторое время, и волнение уляжется.

— Мои лекции и семинары мгновенно заполнились до отказа, и я вовсе не нахожу это лестным: большинство записавшихся ко мне студентов сделали это из любопытства. Я видел, как сегодня рядом с тобой сладко спал некий ковбой.

Шелли улыбнулась, радуясь, что лицо Гранта больше не выглядит напряженным и настороженным.

— Да уж, вряд ли он оценил наиболее удачные моменты вашей лекции.

Грант улыбнулся в ответ, затем посмотрел на нее серьезно и пытливо, отчего ей стало неловко.

— А почему ты записалась на мой курс, Шелли?

Она испуганно уставилась на свой кофе, однако, посчитав, что молчание выдает ее, нарочито бодро ответила:

— Потому что хотела получить «зачет».

Он проигнорировал ее попытку отшутиться.

— Ты тоже из любопытных, да? Хотела посмотреть, не выросли ли у меня рога и длинный хвост за то время, пока мы не виделись?

— Нет, конечно, нет. Ни в коем случае.

— Хотела проверить, вспомню ли я тебя? — Он подался вперед, облокотившись на край стола. Расстояние между ними заметно сократилось, но вместо того чтобы отпрянуть, Шелли ощутила непреодолимое желание придвинуться еще ближе.

— Я... да, наверное. Но я думала, что вы не вспомните меня. Прошло столько лет и...

— Хотела проверить, помню ли я тот вечер, когда мы поцеловались?

ГЛАВА 2

Сердце ее учащенно забилось, отдаваясь в барабанных перепонках и оглушая ее. Ей показалось, что все посетители кафе вдруг замолчали и вокруг повисла напряженная тишина, во рту у нее пересохло.

— Посмотри на меня, Шелли.

Нет-нет, Шелли, не смотри. Пропадешь. Он все увидит. Все поймет. Однако глаза ее, не вняв отчаянной мольбе разума, уже встретились с его взглядом, в зеленоватых глубинах которого она увидела свое отражение — растерянное, ошеломленное и печальное.

— Я помню, как поцеловал тебя. А ты помнишь?

— Да, — Шелли нервно кивнула.

Она на миг прикрыла глаза, молясь, чтобы он оставил эту тему, заговорил о чем-нибудь другом, о том, что они смогли бы открыто и легко обсудить. Она чувствовала, что не в силах вновь пережить тот вечер, перевернувший всю ее жизнь.

Сколько раз она втайне оживляла в памяти тот вечер — не счесть. Воспоминание о нем было спрятано в самом потаенном уголке ее души — сокровищнице, о которой никто не знал. Не бередя его понапрасну, Шелли извлекала и заново переживала его, только оставаясь наедине с собой. Но обсуждать тот вечер с ним — все равно что подвергаться медицинскому осмотру. Ничто не укроется от него. Она не могла этого сделать.

Грант же был безжалостен:

— Это случилось после чемпионата по баскетболу. Помнишь?

— Да, — прошептала она, отчаянно стараясь не закричать. — Победила команда Пошман-Вэлли.

— Болельщики тогда словно с цепи сорвались, помешались, — тихо добавил он. — Оркестр, наверное, раз десять подряд играл торжественный марш. Там собрался весь город, и все кричали, вопили. Игроки подхватили тренера на руки и пронесли по кругу спортивного зала.

Шелли увидела все это словно воочию. Она слышала рев зала, чувствовала запах поп-корна, ощущала, как вибрирует под ее ногами пол, когда все дружно притопывали в такт музыке.

«Шелли, принеси знамя победителя», — прокричал ей в ухо один из капитанов болельщиков. Кивнув, она стала пробираться сквозь толпу ликующих зрителей к кабинету, где оставили знамя.

Зажав его под мышкой, Шелли уже собралась бежать обратно, как вдруг в кабинет влетел Грант, которого послали за призом для победителей.

— Мистер Чепмен! — радостно вскрикнула Шелли, бросившись его обнимать.

Зараженный всеобщим ликованием, он, не задумываясь, обхватил Шелли за талию, приподнял над полом и принялся кружить; оба они весело расхохотались.

Когда он вновь поставил ее на ноги, то не

сразу отпустил, помедлил мгновение — слишком долгое мгновение... Руки его все еще оставались сплетенными за спиной Шелли. Тот миг был спонтанным, непредвиденным, возможно, роковым, ибо стал одновременно и гибелью и рождением Шелли, бесповоротно изменив ее судьбу.

Изумление овладело обоими; смех замер. Повисла тишина, нарушаемая лишь отдаленным гулом, доносившимся из спортивного зала. Сердца их, казалось, бились в унисон; Шелли чувствовала тяжелые удары сердца Гранта через свой свитер. Его крепкие ноги прижались к ее бедрам, прикрытым лишь короткой шерстяной юбкой. Одна из его ладоней оставалась на ее талии, а другая решительно скользнула к середине ее спины. Дыхания их смешались, когда лицо Гранта чуть склонилось к ней.

Словно окаменев, они стояли, смотря друг на друга в немом изумлении. А затем порывисто, будто только что осознав сомнительность положения, Грант нагнулся к Шелли.

Губы его коснулись ее губ, нежно-нежно. Замерли. Прижались, разомкнули ее уста. Кончик его языка коснулся ее, и обоих словно пронзил электрический разряд.

Грант резко выпустил ее из рук и отступил на шаг. Увидев слезы унижения в ее испуганных глазах, сердце его сжалось от отвращения к самому себе.

— Шелли...

Она метнулась в сторону.

Все с тем же зажатым под мышкой знаменем Шелли очертя голову бросилась прочь из спортивного зала к отцовской машине. Когда час спустя встревоженные родители обнаружили ее скрючившейся на заднем сиденье, Шелли пояснила, что плохо себя почувствовала и вынуждена была уйти...

— Я напугал тебя в тот вечер, — сказал Грант. Он не дотрагивался до нее, хотя ладонь его лежала на столе совсем рядом с ее рукой. Стоило ему чуть приподнять мизинец и шевельнуть им — он бы тотчас коснулся Шелли.

— Да, напугали. — Слова давались ей с превеликим трудом. — Я сказала родителям, что заболела, и пролежала в постели целых три дня из рождественских каникул. — Она попыталась улыбнуться, но вдруг почувствовала, что губы ее дрожат.

Да, тогда она лежала в постели, растревоженная, сбитая с толку, задаваясь вопросом, почему ее грудь начинает трепетать, стоит только вспомнить прикосновение губ мистера Чепмена. Почему нетерпеливая возня ее школьного приятеля лишь раздражает ее, и почему она так хочет сейчас вновь и вновь ощущать руки мистера Чепмена на своем теле?.. Повсюду... Ласкающие, неторопливо поглаживающие, дотрагивающиеся до ее груди... И его поцелуи... Слезы жгли глаза. Уткнувшись в подушку, она рыдала от стыда.

— Не одна ты испугалась. Уж я-то как перетру-

ли Робинс всегда поступала разумно. Остановившись на тротуаре, она посмотрела Гранту в лицо:

— Спасибо, но я вполне могу добраться сама.

— Не сомневаюсь. Но я хочу пойти с тобой.

— Это не обязательно.

— Я этого и не говорил.

— Не стоит.

— Почему?

— Потому что вы преподаватель, а я ваша студентка, — ответила она, чувствуя, что вот-вот разрыдается, сама не ведая почему.

— Как и прежде. Тебя именно это беспокоит?

— Наверное... Да.

— Но есть одно существенное отличие, Шелли. Теперь мы оба — взрослые люди.

Она замялась, прикусив нижнюю губу.

Воспользовавшись ее замешательством, Грант постарался убедить девушку:

— Поверь, меньше всего на свете я стремлюсь к скандалу. Я не сделал бы ничего, что могло бы скомпрометировать тебя или меня.

— Именно поэтому нас и не должны видеть вместе.

Его положение в университете и без того было шатким. Зачем же рисковать? Помимо его проблем, Шелли следовало задуматься и о том, чем для нее самой может обернуться неожиданное появление Гранта в ее жизни.

Нет. Нельзя ей попадаться снова в эту ловушку. Надо немедленно нажать на тормоза. Зачем вообще позволила ему заговорить о том поце-

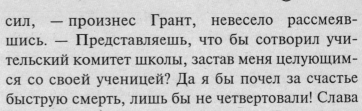

сил, — произнес Грант, невесело рассмеявшись. — Представляешь, что бы сотворил учительский комитет школы, застав меня целующимся со своей ученицей? Да я бы почел за счастье быструю смерть, лишь бы не четвертовали! Слава богу, никто нас в тот вечер не видел. Для тебя это было даже важнее, чем для меня. Я мог уехать. Ты — нет.

— Вы уехали сразу же...

После тех каникул Шелли боялась идти в школу. Как она посмотрит ему в глаза? Однако еще до начала первого урока она узнала, что мистер Чепмен больше не будет преподавать в Пошман-Вэлли — он уволился. Его пригласили в Вашингтон занять пост советника при конгрессе от округа Колумбия. Вообще-то все и раньше знали, что, работая в школе, он просто-напросто выжидает, когда сможет отправиться в столицу, — но тем не менее его внезапный отъезд многих удивил.

— Да. Во время каникул я отправился в Оклахома-Сити и изводил знакомых звонками, пока один из них наконец не подыскал мне работу.

— Почему?

— Шелли, возможно, тогда ты была невинной девочкой, но сейчас — нет. Ты понимаешь, почему я должен был уехать. Тот поцелуй был далеко не отеческим. Прежде мне и в голову не приходило, что я могу до тебя дотронуться, а уж тем более целовать. Пожалуйста, поверь. У меня и в мыслях не было никаких планов в отношении тебя или какой-то другой ученицы. Но когда я поднял тебя на руки, во мне что-то изменилось. Ты перестала быть моей ученицей, ты превратилась в желанную женщину. Сомневаюсь, что я бы смог вновь обращаться с тобой как со школьницей.

Шелли почувствовала, будто какие-то тиски сдавили ее грудь. Она подумала, что сейчас задохнется, но его вопрос сбил волну удушья:

— Ну, ты все? Или еще кофе?

— Да... в смысле, да, все, но кофе больше не надо. Спасибо.

— Тогда пойдем.

Он встал и предупредительно взялся за спинку ее стула. Шелли поспешно вскочила, стараясь не касаться Гранта.

— Уф, — выдохнул он, распахивая тяжелую, с медной окантовкой дверь. — Свежий воздух...

— Здравствуйте, мистер Чепмен.

Какая-то студентка, входившая в кафе в компании еще трех девиц, остановилась и заговорила с Грантом. Ее ресницы были густо намазаны тушью, пухлые губы ярко накрашены, волосы старательно уложены в прическу под названием «ухоженный беспорядок». Ее внушительный бюст, не скованный бюстгальтером, призывно колыхался под вязаным свитером.

— Здравствуйте, мисс...

— Циммерман. Понедельник — среда — пятница, занятие в два часа. Знаете, мне так понравилась ваша вчерашняя лекция, — нежно проворковала девица. — Я даже взяла в библиотеке несколько книг из рекомендованных вами.

— И уже прочитали?

Сбитая с толку насмешливым вопросо[м Гран]та, девица несколько секунд тупо моргала[, потом] расплылась в улыбке, очевидно решив с ю[мором] отнестись к его колкости.

— Уже начала.

— Отлично. Когда закончите, мне бы хот[елось] послушать ваши впечатления.

— О, разумеется. Разумеется! — Цепкий взгляд девицы оценивающе скользнул по Шелли, которая вызвала у мисс Циммерман явную неприязнь. — Увидимся, — небрежно бросила девица через плечо и вслед за своими подружками скрылась в кафе.

Они уже прошли полквартала вдоль книжных лавочек, когда Грант беззаботно заметил:

— Комментариев не будет?

— По поводу? — в тон ему живо отозвалась Шелли.

— По поводу одержимости и усидчивости не[которых] которых студентов.

— Не сомневаюсь, что мисс Циммерман оде[р]жима множеством вещей, — она лукаво взгляну[ла] на Гранта, — только вряд ли к их числу относ[ится] наука.

Рассмеявшись, он взял ее под руку.

— Где ты оставила машину?

— Нигде. Я сегодня пришла пешком.

— Это поправимо. Итак, нам куда?

Безопаснее, разумнее и проще всег[о] расстаться прямо здесь и без промедл[ения]

луе десятилетней давности, уму непостижимо, но...

— Мне нужен друг, Шелли.

Она резко вскинула глаза и увидела горестные складки по углам его рта и глубокую морщинку меж бровей. Он немало выстрадал, изведал горя. Если бы он сказал это как-то иначе, она бы отказала. Вероятно... Возможно...

Но на эту бесхитростную мольбу о дружбе нельзя было ответить отказом. Да, он в некотором роде знаменитость. Но в то же время он — жертва собственной известности. Личности, подобные ему, не вызывают дружеских чувств у людей, живущих обычной жизнью. Нечто вроде снобизма наоборот. Очевидно одно: он одинок.

— Хорошо, — тихо произнесла она и продолжила путь.

Он приноровился к ее походке.

— На чем специализируешься?

— *На банковском деле.*

— На банковском деле? — Он вдруг остановился.

— Ну да. — Она тоже остановилась. — А вы что думали? На домоводстве? — В ее голосе прорвалось нескрываемое раздражение.

К ее удивлению, Грант расхохотался.

— Да нет, я вовсе не страдаю мужским шовинизмом — просто не могу представить тебя грузной банкиршей в сером костюме в мелкую полоску.

— Помилуй боже! — усмехнулась она. Они снова зашагали рядом. — Признаться, в своем выборе специализации я руководствуюсь чисто женскими мотивами. Сейчас во многих банках есть отделы, обслуживающие женщин, особенно тех, кто занимается собственным бизнесом, а также разведенных и вдов, которым впервые приходится распоряжаться своими деньгами. Зачастую они даже не знают, как заполнить чековую книжку, не говоря уже об открытии счета или обеспечении ссуды.

— Всей душой одобряю твой выбор, — сказал Грант, прижав руку к сердцу. — По-моему, отличная идея.

— Спасибо. — Она присела в реверансе.

Улицы опустели. Солнце скрылось, и небо приобрело голубоватый оттенок. Дубы и вязы склонили над аллеей свои густые кроны, даря прохожим уединение, создавая интимную атмосферу для влюбленных. И одна парочка не сумела противостоять столь романтической ауре.

Почти бесшумно ступая по растрескавшемуся, поросшему лишайником тротуару, Грант и Шелли приблизились к влюбленным. Девушка стояла, прислонившись спиной к дереву, а молодой человек прижался к ней. Губы их соединились в поцелуе, руки сплелись в крепком объятии.

Пока Шелли смущенно наблюдала за ними, бедра мужчины медленно задвигались по кругу, словно в танце, а ладонь девушки скользнула от его талии ниже, настойчиво прижимая и поощряя. Кровь прилила к лицу Шелли. Набравшись смелости, она украдкой взглянула на Гранта — и

пришла в еще большее смятение, увидев, что он
пристально следит за ее реакцией. Усмехнувшись,
он ускорил шаг — и вскоре потерявшие голову
любовники остались позади.

— Ты сейчас работаешь? — спросил Грант,
чтобы разрядить возникшее напряжение.

— Нет. Я профессиональная студентка — решила отдать все время и силы образованию. А поскольку мне удалось его финансировать, работать
незачем.

— За счет алиментов?

Шелли никогда не обсуждала свой развод, но,
как ни странно, вопрос Гранта ее не обидел. Горечь, не отпускавшая долгие месяцы после того,
как все бумаги бракоразводного процесса были
подписаны, постепенно рассеялась. Остались со-
жаления, но этого и следовало ожидать.

— Да. Я, конечно, не собираюсь сидеть на шее
Дэрила всю жизнь, но считаю, что он должен был
предоставить мне возможность закончить образование. В конечном счете мы пришли к соглаше-
нию, которое устроило обоих.

— Можно спросить, что же произошло?

— Наш брак был ошибкой, и через пять лет мы
развелись.

Они пересекли еще одну пустынную улочку, и
Грант, помедлив, обронил:

— Подробностей не будет?

Она подняла на него глаза:

— Бога ради...

— Извини. Я не хотел лезть в душу. Просто,

по-моему, твой бывший муж — круглый дурак, и я бы сказал ему это в лицо, если бы довелось когда-нибудь встретиться.

— Неважно. Он добился всего, чего хотел. Сейчас работает врачом в Оклахома-Сити и весьма преуспел в своей области. Последний раз до меня доходили слухи, что он увивается за дочкой главврача больницы. Дэрил наверняка считает это солидным достижением.

Грант с шумом выпустил воздух сквозь плотно сжатые губы.

— Полагаю, ты принесла в жертву свою учебу и пошла работать, чтобы он смог закончить медицинский колледж.

— Что-то в этом роде. — Ее встревожило свирепое выражение лица Гранта. — Ну, вот и мой домик.

Следом за ней он поднялся по узенькой кривой дорожке к полукруглой нише, в которой скрывалась парадная дверь. Дом был выложен из темного красно-коричневого кирпича и отделан белыми деревянными панелями. Трава и кустарник аккуратно подстрижены, но двор был усыпан листвой, опавшей с двух ореховых деревьев, что росли по бокам аллеи.

— Шелли, мне здесь нравится.

— Серьезно? Мне тоже он понравился с первого же взгляда. Ужасно жалко будет расставаться с этим домиком, когда придется уезжать после окончания учебы.

— А куда ты поедешь? Уже есть какие-нибудь планы насчет работы?

— Пока нет, но весной начну рассылать письма с запросами. Наверное, придется перебраться поближе к столице, чтобы отыскать достаточно крупный банк, которому будет по силам открыть специальное женское отделение.

К концу этой фразы голос Шелли стал едва слышен. Ей было не по себе — Грант буквально пожирал ее глазами.

— Спасибо вам за... — начала она.

— Шелли, неужели тебе ни капельки не любопытно? Ты даже не спросила, почему красивая и богатая дочка сенатора покончила с собой из-за меня.

Шелли опешила. Она не ожидала, что он так запросто заговорит о своем изгнании из Вашингтона. Конечно, ей было любопытно. Как, впрочем, и всей стране. Когда газетные заголовки запестрели сообщениями о самоубийстве одной из вашингтонских любимиц, общество содрогнулось от негодования.

За месяц до своей гибели Мисси Ланкастер водила близкую дружбу с Грантом Чепменом. Сенатор Ланкастер от Оклахомы, по-видимому, одобрял этот многообещающий роман. Когда девушка была найдена умершей от передозировки снотворного в своей джорджтаунской квартире, окружавший парочку волшебный ореол лопнул. Грант Чепмен попал в серьезный переплет: полагали, что он разбил сердце несчастной, а посему он был немедленно уволен из аппарата сенатора.

Чепмен имел бестактность подать в суд на сенатора Ланкастера за незаконное расторжение контракта. Вот уж порадовались журналисты! Что может быть притягательнее обнаженной девушки, найденной мертвой в собственной постели с запиской в руке? Записка гласила: «Мой самый дорогой на свете человек, прости за то, что слишком сильно тебя любила. Если ты не можешь быть моим, лучше мне умереть». Более того, вскрытие показало, что Мисси Ланкастер была беременна.

Ненасытная публика с жадностью глотала каждую новую подробность этого скандального дела.

Грант выиграл процесс. Однако, едва судья огласил решение, он немедленно подал в отставку со своего поста. Возможно, Грант Чепмен показал себя бесчувственным бревном, но никто и никогда не смог бы обвинить его в глупости. Ему хватило ума понять, что его карьере в Вашингтоне пришел конец.

— Я... мне очень жаль, что вам пришлось столько пережить, — сказала наконец Шелли.

— Должно быть, ты одна во всей стране питала сочувствие ко мне, подлому злодею из той пьесы. — Грант грустно рассмеялся. — Неужели ты ни на минутку не поверила, что все сказанное обо мне может быть правдой? Неужели ни капли не поверила в то, что я безжалостный совратитель девственниц, и не задумалась: а не мой ли младенец умер в утробе матери, лишившей себя жизни?

Под напором его словесной бравады Шелли невольно отшатнулась. Грант понял, что его сарказм был излишним. Ему стало стыдно. Нервно проведя рукой по волосам, он тяжело вздохнул. Еще несколько секунд он не мог смотреть ей в лицо и не отрывал своего взгляда от земли.

— Извини меня, Шелли.

— Не извиняйтесь. У вас есть все основания для горечи. Что бы ни произошло между вами и Мисси Ланкастер, жертвой в итоге оказались вы.

— Где ты была, когда я так в тебе нуждался? Поднимала бы мне дух. — Он попытался улыбнуться.

— Все образуется. Люди забудут.

— А ты? — Он сделал шаг к ней.

— Что... что я?

— Забудешь ли ты, что я был замешан в скандальной истории, связанной с молодой девушкой, зная, что десять лет назад я поцеловал девушку гораздо моложе?

Боже, хоть бы какое-нибудь движение! Любой звук разбавил бы это тягостное безмолвие, нависшее над ними! Но отвлечься было не на что — все чувства Шелли сосредоточились на Гранте. Он целиком заполнял ее. Она не видела ничего, кроме него; чувствовала хвойный аромат его одеколона, слышала стук его сердца.

— То, что произошло в Пошман-Вэлли, было случайностью, — выдохнула она.

— Ты уверена? Долгое время я повторял себе, что так оно и было, но, увидев тебя на днях, вынужден был признаться себе, что все было иначе. Возможно, уже тогда я увидел в тебе будущую женщину, такую, как ты сейчас. Шелли...

— Нет, — когда он приблизился еще на шаг, она отступила. — Нет, Грант.

— Почему?

— *Почему*? Потому что обстоятельства все те же.

— Это глупо, Шелли. Сколько тебе лет? Двадцать шесть? Двадцать семь? А мне тридцать пять. Будь я кем-то другим и познакомься мы на вечеринке, ты бы не придала нашей разнице в возрасте никакого значения.

Она сжала ладони, пытаясь унять их дрожь, а может быть, затем, чтобы не позволить себе дотронуться до него, удержаться, чтобы не убрать с его лба эту серебристую прядь, чтобы не положить ладонь на лацкан его пиджака?..

— Дело совсем не в возрасте. Я по-прежнему ваша ученица.

— В средней школе Пошман-Вэлли это имело значение. Но не здесь и не в наше время. Думаю, мы должны признаться самим себе и друг другу в том, что тот поцелуй десять лет назад был предвестником чего-то большего. — Он подошел к ней и положил сильные ладони на ее плечи.

— Не надо, пожалуйста. Ничего больше не говорите.

— Выслушай меня, — напористо заговорил он, оттесняя ее к стене. — Когда на днях ты вошла ко

мне в аудиторию, ты была словно дуновение свеже-
го ветерка. После той трясины, в которую превратилась моя жизнь, ты явилась словно напомина-
ние о более счастливых временах. Я никогда не
забывал тот декабрьский вечер, но в моей памяти
он будто затянулся дымкой, потускнел. А увидев
тебя вновь, я так живо все вспомнил и вновь пережил смятение, которое испытал десять лет назад.
Шелли, я хочу еще раз поцеловать тебя. Карьера
моя вылетела в трубу. Я познал, сколь мимолетен,
быстротечен успех. Так что из того, если кто-нибудь нас осудит? Я до смерти устал оглядываться
на людей. Я хочу поцеловать тебя, Шелли. Мне
совершенно нечего терять.

Он бережно взял ее за подбородок. Руки ее
взметнулись, чтобы оттолкнуть Гранта, но вместо
этого вцепились в его плечи. Долгое, бесконечное
мгновение он вглядывался в ее большие испуган-
ные глаза, затем склонил голову.

Губы его были теплыми, уверенными, но нежными. Они прикоснулись к ее губам — и Шелли
сама не поняла, как уста ее раскрылись, повинуясь легкому напору его языка. Она услышала
тихий стон, но даже не осознала, что сама издала
этот звук.

Язык Гранта касался ее языка, поглаживал, до-
тошно исследуя. Кончиком языка Грант провел
по нёбу Шелли, по зубам, проникая как можно
глубже, не оставляя ничего неизведанным.

Оковы гнетущей тоски, терзавшей Шелли последние десять лет, вдруг пали. Руки ее скользнули

к его шее, коснулись темных прядей, задевавших воротник. Десять лет томления и мечтаний растворились в этом поцелуе. От наплыва долго сдерживаемых чувств сердце едва не выскочило из груди.

Грант слизнул влагу, поблескивающую на ее нижней губе.

— Шелли, Шелли, боже мой... — прошептал он. Язык его снова ринулся в этот сладкий альков, на сей раз смелее, и был встречен с равной горячностью.

Выпустив ее подбородок, Грант обвил Шелли за талию. Другая рука между тем скользнула вдоль ее спины, привлекая все ближе. Тела их соприкоснулись, и Шелли тотчас ощутила неоспоримое свидетельство его мужественности. Она испытала шок.

Это мгновенно привело ее в чувство. Ясное понимание ситуации прорвалось сквозь пелену страсти, лишившей ее здравомыслия. Упершись кулачками в грудь Гранта, Шелли откинула голову назад.

— Пусти меня, пожалуйста! — в ужасе вскрикнула она.

Он тотчас выпустил ее и отступил на шаг. Дрожащей рукой Шелли провела по лбу.

— Спасибо, что проводили меня. А теперь мне пора. — Она повернулась, но Грант поймал ее за руку.

— Шелли, пожалуйста, не убегай от меня опять.

— Я не убегаю. — Она упорно избегала его взгляда. — Просто у меня много дел и...

— Ты убегаешь, — оборвал ее Грант, — но на сей раз я не позволю тебе уйти не объяснившись. Скажи, я повел себя грубо, чересчур напористо? Ты все еще любишь мужа?

Она хотела рассмеяться, но из ее груди вырвался какой-то хрип.

— Нет. Уверяю тебя, дело вовсе не в этом.

— А в чем же?

— Грант, — она с трудом взглянула на него, — ты прекрасно знаешь, почему мы не можем... почему это никогда больше не должно повториться. С самой первой минуты, когда я впервые вошла в твой класс десять лет назад, ты был и остаешься моим учителем. И за несколько часов я не в состоянии изменить тот образ, который сложился тогда в моем сознании. Для меня ты по-прежнему недосягаем. И хочешь ты это признать или нет, я для тебя — тоже.

Взгляд Гранта скользнул к ее губам, затем к плечу. Его нежелание смотреть ей в глаза подсказало Шелли: он понял, что она права.

— У тебя есть шанс начать все сначала, заняться карьерой. А это, — она сделала неопределенный жест, словно обрисовывая ситуацию, — не стоит того, чтобы рисковать твоей репутацией.

Он вновь устремил на нее взгляд.

— Это мне решать.

— А я уже решила. Мы не можем допустить, чтобы это продолжалось, иначе накличем беду на обоих. Это... неправильно, так нельзя. Нельзя было тогда, нельзя и сейчас.

Прежде чем он успел сказать хоть слово, Шелли открыла дверь и, проскользнув в дом, захлопнула ее за собой. Потом она еще долго стояла, прислонившись к двери, пока не услышала, как его медленные тяжелые шаги растаяли вдали.

Слезы, так долго сдерживаемые, наконец прорвались и хлынули водопадом.

ГЛАВА 3

— Отлично выглядишь, Шелли, — приветствовала она свое опухшее от слез отражение в зеркале, висевшем над раковиной в ванной комнате. Промокнув салфеткой покрасневшие глаза, она нагнулась, чтобы снова ополоснуть лицо холодной водой. Не отрывая глаз от своего зеркального отражения, она стянула махровое полотенце с крючка и сильно прижала его к глазам в надежде отогнать прочь неотступно преследующий ее образ Гранта Чепмена.

«Если тебе не удалось сделать это за десять лет, с чего же ты взяла, что сумеешь сейчас?» — спросила она себя. Он стал еще обаятельнее, красивее и, на ее наметанный женский взгляд, еще мужественнее, чем прежде. Со времен ее девичьей влюбленности его образ постоянно будоражил ее благополучие, но опасность та не шла ни в какое сравнение с нынешней.

Мужчина, которого она так и не смогла забыть, снова вошел в ее жизнь, и Шелли не знала, что делать. Заливая молоком овсяные хлопья, она проклинала себя за то, что записалась к нему на семинар. В университете обучалось семь тысяч студентов, и вероятность ее случайной встречи с Грантом была ничтожной. Однако она намеренно сделала так, что они должны были встречаться по меньшей мере дважды в неделю.

Ужин ее пригорел, но она даже не почувствовала этого. После развода Шелли почти не готовила и в результате сбросила около шести килограммов, которыми обросла за пять лет замужества. Как только завершился бракоразводный процесс, она дала себе клятву никогда больше не готовить еду для мужчины, ибо Дэрил считал, что, когда бы он ни возвращался домой из больницы, на столе его должен ждать горячий ужин.

Презрение к покорной служанке, в которую она превратилась в замужестве, вызвало горький привкус во рту. Со злостью выбросив остатки хлопьев в мусорное ведро, Шелли ополоснула миску под краном.

— Больше — никогда в жизни, — поклялась она.

С Дэрилом Робинсом она познакомилась на студенческой вечеринке в первую же неделю учебы в Оклахомском университете. Она только что выпорхнула из школы, и симпатичный слушатель подготовительных курсов при медицинском колледже был для нее пределом романтических мечтаний.

После первого танца они уже не меняли партнеров до конца вечера. Во время медленных танцев Дэрил чересчур близко прижимал ее к себе, и это заставило Шелли немного понервничать, но, в конце концов, она теперь студентка. Кроме того, он не проявлял чрезмерной активности и невольно подкупал своей бесхитростной открытой улыбкой и трогательно-белокурыми локонами.

По-настоящему ухаживать за ней он начал на вечере встречи выпускников, а к Рождеству их свидания вышли за рамки невинных объятий.

— Бога ради, Шелли, когда же ты повзрослеешь? — шепнул он как-то, устроившись на заднем сиденье своей машины. — Я ведь будущий врач и знаю, как уберечь тебя от беременности, если именно это тебя беспокоит.

— Не в этом дело! — со слезами ответила Шелли. — Я считаю, что женщине нельзя... прежде чем...

— Она выйдет замуж, — с насмешкой закончил он и негромко выругался, не скрывая своего разочарования. — Где ты жила? В каменном веке?

— Не надо смеяться надо мной! — заявила она, неожиданно проявив характер. — Это сильнее меня, и я не виновата.

Дэрил снова выругался и стал не отрываясь смотреть в окно.

— Черт, — наконец вздохнул он. — Так что,

хочешь за меня замуж? Если попрошу отца, он поможет нам деньгами.

Шелли ничуть не расстроилась из-за того, что предложение было сделано без должного романтизма. Метнувшись через все сиденье, она обняла его за шею.

— О Дэрил! Дэрил!

В тот вечер она позволила ему снять с себя бюстгальтер и поцеловать грудь. Дэрил был в восторге, а она — разочарована. Это оказалось вовсе не так замечательно, как она ожидала. Ведь в своих мечтах она представляла рядом совсем другого мужчину...

А сейчас этот мужчина вновь появился в ее жизни, и она поняла, что, как и прежде, совершенно не в состоянии справиться со своими чувствами к нему. Ничего не изменилось, разве что она стала взрослее и мудрее. Но стала ли? Шелли казалось, что разумнее было бы перевестись из семинара Гранта Чепмена к какому-нибудь другому преподавателю, и в то же время она знала, что не уйдет.

* * *

Шелли несколько часов просидела, уставившись в пространство, и взвешивала свое решение, бездарно тратя время, которое могла бы провести над книгами, придумывая, каким образом ей следует отказать ему в следующий раз. Какое же острое разочарование она испытала, когда Грант даже не попытался с ней заговорить.

Сердце ее бешено колотилось, когда она открывала дверь аудитории... — но она пришла раньше Гранта. Заняв место в самом последнем ряду, она подскакивала при каждом стуке двери, пока наконец в класс пулей не влетел Грант, с растрепанными волосами и встревоженным лицом.

— Прошу прощения за опоздание, — извинился он и бросил на стол свои книги.

Не заговорил он с ней и после занятий, когда она выходила из аудитории. В душе Шелли боролись облегчение и досада. Она монотонно твердила себе, что должна радоваться тому, что он пришел в себя и внял ее доводам. Почему же тогда она так расстроена?

На следующем занятии он держался с Шелли столь же отчужденно. Лишь когда она проходила мимо его стола, холодно обронил: «Здравствуйте, миссис Робинс». На что она столь же бесстрастно ответила: «Добрый день, мистер Чепмен».

— Черт бы его побрал! — выругалась она, бросая стопку тяжелых учебников на кухонный стол. Скинув туфли, она направилась к холодильнику и распахнула дверцу. — Снова он со мной это вытворяет!

В действительности же он не делал ничего — и именно это терзало Шелли.

— Целый год в предвыпускном классе школы я не могла сосредоточиться ни на чем, кроме него. Он мне все испортил!

Разумеется, тогда он не был виноват в ее идиотской влюбленности — не виноват и теперь. Шелли с такой силой захлопнула холодильник, что задребезжали стоявшие там немногочисленные банки.

— Второй раз ему мою жизнь не разрушить! Не получится! — закричала она, срывая петельку с банки газированной воды, и по неосторожности она зацепила за нее кончик ногтя. Закрыв лицо руками, Шелли разрыдалась от боли и напряжения. — Я вырву его из своего сердца, чего бы мне это ни стоило! Клянусь!

* * *

Решение это оставалось в силе целых два дня. Когда Шелли, нагруженная заданиями и списком книг, устало поднялась по мраморным ступеням ко входу в библиотеку, полная решимости всецело и безраздельно отдаться учебе, то первый, кого она увидела за порогом этого мрачного здания, был Грант Чепмен.

Он сидел за длинным столом вместе с группой сотрудников кафедры политических наук. Шелли он не видел, поэтому она смогла не смущаясь, открыто его рассмотреть.

Несмотря на седину, пробивающуюся у висков, Грант был похож скорее на студента, чем на преподавателя. Одет он был в коричневые брюки и синий пуловер с треугольным воротом и закатанными до локтей рукавами. Опершись подбородком на сцепленные замком ладони и подав-

шись вперед, он вслушивался в речь одного из
своих коллег; затем высказал какое-то замеча-
ние, — и все рассмеялись, а громче всех сидящая
рядом с ним женщина. Лет тридцати пяти на вид,
она обладала яркой внешностью и была весьма
привлекательна. Грант улыбнулся ей.

— Эй, Шелли, привет!

Порывисто обернувшись, Шелли оказалась
лицом к лицу с молодым человеком, который
вместе с ней посещал лекции по экономике.

— Привет, Грэм! Уже начитался?

— Скучища! — скривился Грэм и направился к
выходу.

Негромко попрощавшись с ним, Шелли, все
еще улыбаясь, повернулась — и улыбка застыла
на ее губах, когда взгляд ее встретился с глазами
Гранта. Он смотрел на нее из-под сдвинутых бровей, почти не обращая внимания на профессора,
который с жаром что-то говорил собравшимся.
Грант словно бросал ей вызов, подстрекая проиг-
норировать себя, но Шелли приветственно кивнула и направилась к лестнице.

В читальном зале на третьем этаже она отыскала свободный столик в углу и разложила книги,
которые предстояло прочесть. Да уж, Грэм был
прав: материал — скучнее некуда. Через полчаса
слова уже расплывались перед глазами, сливаясь в
бессмысленные цепочки.

Чтобы как-то отвлечься, она стала прислуши-
ваться к приближающимся шагам, негромко по-

стукивавшим по плиточному полу. Топ, топ, стоп. Поворот. Шаг назад. Вперед. Стоп. Топ, топ...

Неожиданно Грант возник прямо перед ней из длинного прохода, образованного высокими стеллажами книг. В уголках его рта притаилась довольная улыбка. Неужели он ее искал?

Шелли поспешно опустила глаза на лежавший перед ней текст. Боковым зрением она видела, как Грант приближается, пока не остановился совсем рядом; их разделял только узкий стол. Когда Грант водрузил на него пухлую папку с бумагами, Шелли подняла глаза и многозначительно взглянула на свободный столик по соседству.

— Здесь занято? — подчеркнуто вежливо поинтересовался Грант, чуть наклоняясь к ней.

— Нет. И там тоже. — Кивком головы она указала на другой стол.

Он оглянулся через плечо.

— Здесь освещение лучше. — Грант попытался выдвинуть стул, но тот не поддался. Тогда он нагнулся выяснить, что же ему мешает, и тихонько хмыкнул: — Ага, стул-то занят.

На стуле покоились ноги Шелли.

Она опустила их на пол, и Грант сел. Почему она делает вид, что раздосадована его вторжением? На самом деле ее сердце подпрыгивало от радости, что он все-таки ее нашел. А если верить его глазам, то он был не меньше рад возможности побыть с ней наедине. Несколько долгих мгновений они молча смотрели друг на друга. После чего, поборов желание протянуть руку и коснуться его,

Шелли снова опустила глаза и с притворным интересом уставилась в свою книгу.

— Вот сюда, — сказал он, похлопывая себя по коленям.

— Что? — одними губами спросила она, вскидывая голову.

Надо вести себя так, словно она погружена в чтение, а он ее отвлекает. Почему же она не соберет вещи и не уйдет?

— Положи мне ноги вот сюда.

Сердце ее так и подскочило.

— Нет, — шепотом отказалась она, косясь через плечо.

— Рядом никого нет, — заметил Грант, и она почувствовала, как поддается чарам его низкого голоса. — Пожалуйста. Они замерзли?

В этом она бы ни за что не созналась.

— Вам не стоило уходить с собрания, — сказала Шелли в надежде увести разговор в другое русло.

— Оно закончилось.

— У вас наверняка найдутся и другие дела.

— Конечно, — с улыбкой согласился он, открывая папку. — Надо кое-что почитать, наверстать упущенное. Ну же, давай, клади сюда ноги.

— Грант... мистер Чепмен... не могу же я сидеть здесь, положив ноги к вам на колени. А вдруг нас кто-нибудь увидит?

— Тебя это настолько волнует? Что подумают о тебе люди?

Вопрос был задан не просто так, и Шелли это

поняла. Она опустила глаза, не в силах больше выдерживать его пронзительный взгляд.

— Да. Может, это и неправильно, но волнует. А вам... неужели вам безразлично, что подумают о вас люди? — Она снова посмотрела ему в глаза.

Грант задумался.

— Да, — негромко, но убежденно ответил он наконец. — Возможно, мне следовало бы уделять больше внимания мнениям других — наверное, так было бы благоразумнее. Но я мог бы потратить впустую свое драгоценное время, гадая, кто и что обо мне думает, — и при этом вполне мог ошибиться. В конце концов, лучше поступать так, как считаешь нужным ты, нежели так, как было бы лучше для тебя по мнению других. Разумеется, не выходя за рамки приличий и закона. — Грант улыбнулся, но Шелли была не склонна отвергать его жизненную философию без дальнейших обсуждений. Ей так отчаянно хотелось его понять.

— Именно поэтому вы сумели легко оправиться после вашингтонского скандала? Случись нечто подобное со мной, я бы замкнулась, порвала бы со всеми навеки, я бы никогда не захотела смотреть людям в лицо. А вы шутите, смеетесь, — заметила она, вспомнив, как только что Грант острил с коллегами. — Скорее всего я бы вообще надолго утратила способность смеяться, случись со мной что-нибудь подобное.

Он мягко улыбнулся:

— Я борец, Шелли, и всегда им был. Я не сделал ничего дурного и скорее соглашусь сгореть в аду, чем позволю ошибочному общественному мнению помешать мне жить весело и полнокровно. — Он взял ее за руку, и Шелли даже не пришло в голову отдернуть руку. — Откровенно говоря, — с грустью продолжал Грант, — бывали времена, когда я бы горько плакал, если бы не смеялся.

Позже она даже не смогла вспомнить, как подняла ноги и позволила ему пристроить их у себя на коленях. Но в какой-то момент вдруг ощутила, как упругие мышцы его бедер давят на ее ступни, а его руки тем временем массируют их.

— Я был прав: они замерзли, — прошептал он.

Почему он шепчет? Тянулись минуты, а они не произносили ни слова, пристально глядя друг на друга через заляпанный чернилами и заваленный бумагами стол. Никто не нарушал их уединения. В полутемных залах библиотеки царила тишина. Высокие стеллажи с запыленными томами книг окружали их чем-то вроде крепости. А шептал Грант потому, что, хотя они и находились в общественном здании, мгновение это было интимным и принадлежало исключительно им двоим.

— Прохладно здесь, — пробормотала Шелли, даже не задумываясь о том, что говорит. Да это было и неважно — ведь она говорила с *ним*. Он был так близко, что она могла сосчитать морщинки в уголках его глаз, услышать его самый тихий шепот. Долгие годы она тосковала по нему, страстно желая его увидеть. Теперь же она смотрела и не могла наглядеться.

— Ты бы оделась. — Рукава ее свитера были завязаны в узел вокруг шеи.

Шелли покачала головой:

— Мне хорошо.

Вообще-то ее то и дело бросало в жар, и от этого становилось не по себе. Голова сделалась вдруг невероятно тяжелой и в то же время легкой, как воздушный шарик. Шелли словно спала наяву, но при этом пронзительно остро сознавала каждое трепетное ощущение в своем теле.

Подобных противоречивых чувств она не испытывала с тех времен, когда сидела в его классе в Пошман-Вэлли и проверяла контрольные, а сам он работал совсем рядом. Шелли то хотелось танцевать, выражая переполнявшее ее волнение, то поддаться блаженной усталости, лечь и ощутить сверху тяжесть его тела. То же самое она испытывала и сейчас.

Какое-то время они читали — или делали вид, что читают. Шелли могла поручиться только за себя, но думала, что Гранту стоит не меньшего труда сосредоточиться на книжном тексте.

Он продолжал массировать ее ступни. Движения его постепенно из энергичных превратились в неторопливые, неуловимо сексуальные. Когда ему надо было перевернуть страницу книги, он удерживал обе ее ступни в одной ладони, пока другая была занята.

Ей нравилось следить за его глазами, скользящими по странице. Представив на миг, как они скользят по ее телу, Шелли густо покраснела. Грант поднял голову, вопросительно посмотрел на нее — и улыбнулся, очевидно, заметив пристальный взгляд Шелли и яркий румянец на ее щеках.

— Кстати, я вдруг подумала, что совсем ничего о вас не знаю, — выпалила вдруг Шелли. — О вашей семье, родных. Вы ведь родом не из Пошман-Вэлли.

— Я вырос в Талсе. Был в семье средним из трех сыновей. Отец умер, когда я учился в колледже. У меня было совершенно обычное, счастливое детство. Наверное, своим бойцовским инстинктом и способностью влипать в неприятности я обязан тому, что был средним по старшинству ребенком. Возможно, я всего лишь пытаюсь привлечь к себе внимание.

Шелли улыбнулась.

— А я была старшей в семье и всегда должна была служить образцом для подражания. А где сейчас ваши братья? И мама?

— Младший брат погиб во Вьетнаме. Мама, у которой и без того было слабое сердце, умерла несколько месяцев спустя.

— Мне очень жаль, — от души посочувствовала Шелли. Самой ей не доводилось терять никого из близких. Хотя долгие годы она жила вдали от дома, но всегда знала, что родители ждут и рады ей. Лишь однажды она их разочаровала — своим разводом. Они очень огорчились, хотя так и не поняли, зачем она на это пошла. Шелли не говорила им, что в то время у нее не было выбора: Дэрил подал в суд все документы на развод, прежде чем счел нужным обсудить это с ней.

— Мой старший брат живет в Талсе с женой и детьми. Думаю, он меня стесняется, — с грустью признал Грант. — Прежде чем перебраться сюда из Вашингтона, я заезжал к ним. Держался он вроде бы вполне дружелюбно, но все равно ощущалось напряжение.

— Может быть, он просто испытывал перед вами благоговейный трепет.

— Возможно. — Грант вздохнул. — Поскольку от всей семьи нас осталось только двое, мне бы очень хотелось, чтобы наши отношения с братом стали более теплыми, близкими. — Он пристально вгляделся в лицо Шелли. — По-видимому, именно его сыновья станут продолжателями нашего рода.

Сглотнув, Шелли опустила глаза на газету, которую якобы изучала.

— Странно, что вы... что вы никогда не были женаты.

— В самом деле странно?

— А разве нет? — Почему же так дрожит ее голос?

Шелли прокашлялась.

— Ничего странного. В первые годы работы в Вашингтоне я был слишком занят карьерой, чтобы всерьез кем-то увлечься.

Значит, увлекался, но не всерьез, подумала Шелли.

— А потом... не знаю. — Он пожал плечами. —

Просто не встретил никого подходящего, во всяком случае, для женитьбы.

Наступившая тишина была почти осязаемой, как и напряжение, повисшее между ними. Грант продолжал массировать ступни Шелли долгими неторопливыми движениями. И с каждым поглаживанием горло ее все сильнее и сильнее сдавливал спазм, дышать становилось все труднее.

— Шелли, — мягко, но повелительно произнес Грант, и ей ничего не оставалось, как повиноваться его невысказанному приказу и посмотреть на него. — До того вечера, когда я тебя поцеловал, я даже не задумывался, чем ты занималась со своим приятелем-спортсменом в его машине с затемненными стеклами. Но много позже, уже в Вашингтоне, мое воображение едва не доводило меня до безумия. Я представлял, как он покрывает тебя поцелуями, ласкает твою грудь...

— Грант, не надо. — Она прикусила нижнюю губу.

— Долгие месяцы я пытался убедить себя, что беспокоюсь за твою добродетель, стремлюсь по-отечески ее защитить. Однако позже я вынужден был признать, почему подобные мысли доставляли мне такие мучения. Я просто ревновал тебя к нему. Я...

— Нет-нет, не говорите такие вещи... Не надо...

— Я хотел сам целовать и ласкать тебя. Хотел смотреть на твою грудь, дотрагиваться до нее, целовать...

— Хватит! — вскрикнула она, высвобождая ноги из его ладоней. Шелли вскочила так стремительно, что у нее закружилась голова. — Я... мне нужно взять еще одну книгу, — пробормотала она и, резко отставив стул, едва его не опрокинула.

Забыв даже обуться, Шелли убежала от стола и исчезла между стеллажами. Отыскав темный проход, где лампа дневного освещения над головой была выключена, она обессиленно привалилась к холодному металлу книжной полки, уткнувшись лбом в судорожно сцепленные ладони.

— Это не должно повториться! — тихо простонала она. — Я не могу допустить, чтобы он снова ворвался в мою жизнь.

Однако она уже слишком давно попала под его магнетическое влияние. Грант полностью владел ее мыслями, Шелли была просто не в состоянии думать о чем-либо ином. Ее тело жаждало его. И Шелли уже после того поцелуя на пороге ее дома знала, что только он в силах утолить эту сжигающую ее жажду.

Она чувствовала себя пленницей своих желаний, и только он, его руки, его губы могли даровать ей освобождение. Но это невозможно. Столько лет она боролась с собой, пытаясь преодолеть свои безумные желания... Нет, эти фантазии не должны разрушить ее...

Однако, когда Грант подошел к ней в полумраке, Шелли не двинулась с места.

Словно окаменев, она продолжала стоять, прислонившись к полке, когда услышала за спиной его шаги. Шелли понимала, что самое разумное сейчас — убежать, скрыться, исчезнуть, — и не могла пошевелиться. Вместо этого она стояла как вкопанная, страшась того, что может произойти, если он дотронется до нее... и молясь в душе, чтобы он не ушел, не сделав этого.

Грант бережно отвел прядь волос с ее лица и наклонился к самому уху.

— Шелли, в чем дело?

Грант обнял ее. Он был на несколько сантиметров выше Шелли, и его объятия словно поглотили девушку, вобрали ее в свое укрытие. Его широкая грудь закрывала хрупкие плечи девушки, его напряженная плоть искала прибежища в ее теле.

— Шелли? — повторил он.

— Во всем! Все не так, — ответила она, обреченно качая головой.

— Не говори так. Все будет хорошо. Никто не посмеет сказать и слова. Я никому не дам тебя в обиду. — Он обнял ее за талию, все крепче прижимая к себе.

Дрожь желания сковала тело Шелли.

— Я давно уже выросла, Грант, и могу сама позаботиться о себе. Я ведь уже не ребенок.

— Слава богу.

— Но я совершенно не знаю, что мне делать.

— Признай и прими то неизбежное, что происходит между нами.

— Это не неизбежное. Мы взрослые люди и отвечаем за свои поступки. Нам надо остановиться, пока наше влечение не станет сильнее нас. Мне кажется, я могла бы справиться с собой.

— Ты действительно так думаешь, Шелли? Ты можешь остановиться?

— Да, да, да! — повторила она в исступлении, но лишь затем, чтобы помешать ему возразить.

— Я не смог удержаться тогда, десять лет назад, чтобы не поцеловать тебя. Слава богу, тогда я сумел обуздать себя, но сейчас это ни к чему. Тогда мы не могли отдаться взаимному влечению, теперь же можем. Я хочу этого. И ты тоже.

— Нет, — отчаянно замотала она головой и охнула, когда его руки скользнули вверх по ее телу. — Нет, Грант, прошу тебя, не прикасайся ко мне!

Но было слишком поздно. Его руки уже коснулись ее груди, а губы целовали ее щеку, обдавая горячим прерывистым дыханием. В груди его нетерпеливыми толчками гулко и мощно билось сердце, и его удары, казалось, были слышны и Шелли.

Не в силах противиться влечению, Шелли склонила голову к нему на грудь и взяла его руки в свои. Грант стал гладить ее жадно и торопливо.

— Поцелуй меня, поцелуй по-настоящему, — взмолилась она с отчаянным безрассудством, которого и предположить в себе не могла. Но в это мгновение все ее действия подчинялись только чувствам и нестерпимому желанию. Губы ее жадно искали губы Гранта и наконец слились с ними, а его ласки, уступая ее поощрениям, становились все смелее.

Грант решительно прервал поцелуй и повернул Шелли лицом к себе. Пальцы их были переплетены, глаза смотрели в глаза. Горячее дыхание Гранта обжигало Шелли. Она понимала одно — всем своим существом она жаждала находиться в этом сладком плену. Шелли едва держалась на ногах, томительная слабость разлилась по ее телу. Несколько томительных мгновений они смотрели друг на друга, охваченные желанием, яростным и непреодолимым.

Когда Грант наконец склонился к ней, губы ее приоткрылись в зовущем ожидании. Он прошептал ее имя — и в следующий миг их уста сомкнулись. Грант осторожно провел языком по ее губам, одновременно поглаживая кончиками пальцев ее раскрытые ладони.

Подчиняясь неодолимой тяге, он оторвался от ее губ и принялся целовать ее ладони, нежно проводя по ним языком. Склонив голову, Шелли зарылась лицом в его непокорные темные волосы. Когда язык Гранта виртуозно исследовал чувствительные углубления на обеих ее ладонях, Шелли едва не зарыдала от возбуждения.

Вновь припав к ее губам, Грант принялся покачиваться из стороны в сторону, поглаживая ее грудь, соски мгновенно затвердели, выдавая ее желание.

— Да, да, — прошептал он. Затем медленно отстранился, чтобы лучше ее разглядеть и развязать рукава свитера, обмотанные вокруг ее шеи. С мучительной неторопливостью руки его двинулись вниз, к ее груди. Соски ее затрепетали от его жаркого прикосновения. Бережно взяв в ладони ее груди, Грант склонился, зарываясь лицом в благоуханную ложбинку меж ними, и глубоко вдохнул, словно ее аромат был источником его жизненной силы.

— Хочу увидеть всю тебя, — прошептал он, снова распрямляясь. — У тебя очень красивое тело. Я чувствую это... — Когда его неторопливые пальцы снова коснулись ее сосков, он повторил: — Красивое...

И вновь привлек ее к себе, целуя с безудержной страстью; ладони его скользнули вниз по ее спине, еще теснее сжимая ее и заставляя почувствовать силу его желания.

— Положи руки мне под свитер.

Руки Шелли послушно поднялись с бедер Гранта к середине его спины, нежно поглаживая тугие мышцы.

— Ты теплый.

Язык его коснулся уголков ее рта, ямочек на щеках.

— Дотронься до меня сама.

Поколебавшись лишь мгновение, она повиновалась и, поощряемая его горячим поцелуем, принялась робко исследовать его густо покрытые волосами грудь и живот. Дыхание Гранта участилось.

— Хочу быть внутри тебя, — с трудом вымолвил он на выдохе. — Глубоко. Внутри...

Шелли коснулась пальцами завитков, окружавших его пупок, с безоглядной пылкостью отвечая на поцелуй. Он дерзко прижался бедрами к ее бедрам, и она откликнулась на это движение.

Поначалу Шелли решила, что мигание лампочек под потолком — всего лишь плод ее разгоряченного воображения. Как вдруг оба они осознали, что это сигнал. Через пять минут библиотека закрывалась.

Разочарованные, они отпрянули друг от друга. Поймав ее руку под своим свитером, Грант погладил ее, затем поднес к губам и поцеловал поочередно каждый пальчик.

— Пожалуй, нам лучше уйти, — неуверенно произнесла Шелли, когда лампочки замигали вновь.

Они поспешно вернулись к своему столу. Шелли собрала все книги и тетради. Они сбежали вниз на два пролета и со смехом выскочили на первый этаж.

— Мистер Чепмен, вижу, вас едва не закрыли в библиотеке...

Голос женщины смолк, когда рядом с Грантом она увидела Шелли. Шелли же сразу узнала в ней ту самую даму, что сидела по соседству с Грантом на недавнем заседании кафедры политических наук, громко смеясь над его шуткой и явно не в силах оторвать от него своего взгляда.

От женщины, разумеется, не укрылись их рас-

красневшиеся лица, взъерошенный вид; да и рас-
пухшие от поцелуев губы Шелли не оставляли ни
малейших сомнений... Только что улыбающееся
лицо дамы помертвело от изумления.

— До свидания, — на ходу бросил Грант, увлекая Шелли к выходу, возле которого ждал дежур-
ный с ключами в руках.

— Всего доброго, мистер Чепмен, — ледяным
тоном произнесла дама.

Шелли хотелось провалиться сквозь землю.
Пребывая в смятении от нахлынувших чувств, она
позволила себе забыть, как воспримут окружаю-
щие их отношения с Грантом. Теперь же, спус-
тившись с небес на землю, она увидела все в ис-
тинном свете. Подобная связь попросту немысли-
ма. Шелли будет выглядеть очередной игрушкой
неотразимого профессора. Можно было представить, что будут говорить возмущенные коллеги.

Едва они подошли к автостоянке, Шелли бросилась к своей машине.

— Спокойной ночи, Грант, — торопливо пробормотала она на ходу.

— Шелли?.. Подожди минутку, — крикнул ей
Грант, пытаясь удержать ее за руку. — В чем дело?

— Ни в чем, — ответила она, пытаясь вновь
вырвать руку из его цепких пальцев.

— Черта с два! — Он преградил ей путь. —
Скажи, что случилось между третьим этажом и
выхо... А-а, нас увидела мисс Эллиот! Именно это
так тебя расстроило? И все сразу изменилось, и
ты спешишь прочь от меня?!

— Ты видел выражение ее лица? Она смотрела на меня, как... Неважно. До свидания. — Шелли попыталась пройти.

— Разве ее мнение так важно? Какая тебе разница, что она подумает?

Шелли почувствовала, как в голове у нее разливается пульсирующая боль. Она устало провела рукой по лбу.

— Не только она. Все остальные — тоже. Ты мой преподаватель...

— Я прежде всего мужчина, черт возьми. — Грант схватил ее за плечи и встряхнул. — А ты прежде всего женщина, а уж потом моя студентка. Кроме того, по-моему, проблема совсем не в этом, верно? Какие еще преграды ты воздвигла в своем воображении?

Его проницательность испугала Шелли. Она на секунду замерла, но злость на Гранта требовала выхода.

— Отпусти меня! — Тон, которым она произнесла эти слова, не допускал возражений, и пальцы Гранта медленно разжались.

— Извини, — произнес он и оглянулся.

От нее не ускользнуло непроизвольное движение Гранта.

— Вот видишь! Ты же сам боишься. Остерегаешься того, что подумают и скажут люди, если увидят нас вместе.

— Ладно, — неохотно согласился он. — Признаю, что некоторая осторожность необходима. Я был бы полным идиотом, если бы не тревожился за свою репутацию в моем-то положении. Но нам ничего не грозит, Шелли. Если мы будем открыто встречаться, кому придет в голову обвинить нас в чем-то недостойном?

Она покачала головой:

— Если бы! Люди всегда ищут в других плохое. Это свойство человеческой натуры.

— Ты ведь уклоняешься от главного, верно? — убежденно заявил он. — Что же на самом деле тебя беспокоит, Шелли?

— Ничего, — сдавленно прошептала она. — Ну, мне пора.

Обойдя Гранта, она направилась к своей машине и открыла дверцу. Какое-то время она могла еще руководить собой, но, проехав мимо него, она совершенно раскисла.

Грант был прав. Он создавал в ее жизни проблемы, о которых сам ни за что бы не догадался. А она не знала, как с ними справиться.

ГЛАВА 4

Прошло два дня с их встречи в библиотеке. Меньше всего Шелли ожидала увидеть Гранта на пороге своего дома.

— Почему тебя не было сегодня на занятии? Заболела?

— Нет. Не заболела.

— А почему не пришла на лекцию?

— Мистер Грант, вы лично навещаете всех своих студентов, пропустивших занятия? Стоит ли так неразумно расходовать ваше драгоценное время?

Было заметно, что ее бравурный тон разозлил его. Глаза его под густыми бровями смерили Шелли долгим внимательным взглядом.

— Ты трусиха, Шелли.

— Вы правы.

Столь быстрая капитуляция удивила Гранта, который ожидал бурного протеста. Он шумно выдохнул, едва скрывая раздражение.

— Могу я войти?

— Нет.

— Спасибо. — Проигнорировав ее запрет, Грант оттеснил ее в комнату, чтобы закрыть за собой дверь. Шелли было запротестовала, но Грант пресек ее возражения. — Вряд ли будет удобно обсуждать все это, стоя на пороге дома.

Одарив его сердитым взглядом, Шелли отступила к окну.

— Говори что хочешь, мне все равно. Я ушла из твоего семинара.

— Почему?

— У меня и без того слишком большая нагрузка в этом семестре, — ответила она, по-прежнему стоя к нему спиной.

— Придумай что-нибудь получше.

— Отлично! — Шелли резко обернулась. — Я не могу посещать твой курс после того, что произошло на днях. Мне не надо было позволять тебе целовать меня.

— Ты и не *позволяла* мне тебя целовать, тебе

хотелось этого так же, как и мне. Именно так это и называется: мы целовались, и, кажется, с удовольствием это делали.

— Я... просто я... Да, мы целовались. Я хотела удовлетворить свое любопытство. Вот и все. — Она лгала, выигрывая время, и он это понимал.

— Что же такого сделал с тобой твой муженек? Почему ты так боишься секса?

— Я не боюсь!

— Ты чего-то боишься.

— Ошибаешься.

— Тогда почему ты такая напряженная и скованная? Ты же знаешь, что я никогда бы не причинил тебе боли. Что сделал с тобой Дэрил Робинс, почему ты так настороженно относишься к мужчинам?

— Я не собираюсь обсуждать это с тобой!

— Скажи мне!

— Он показал мне, какие вы бессердечные, эгоистичные, своекорыстные существа! — вскричала она, тяжело дыша от волнения.

Грант резко вскинул голову, словно получил удар справа в челюсть. На мгновение воцарилось напряженное молчание. Затем Шелли, видимо решившись, продолжила уже спокойнее:

— Его отец не стал помогать нам вопреки ожиданиям Дэрила. Чтобы как-то прожить, мне пришлось бросить учебу и пойти работать. Я работала в конторе, где вкалывала еще сотня таких же, как я. Начала простой регистраторшей и постепенно пробилась в машинописное бюро. На протяжении пяти лет я проводила по восемь часов в день, стуча на машинке и корчась от болей в спине. А возвращаясь с работы домой, покупала продукты, стирала, готовила, прибирала, а по ночам я печатала доклады Дэрила. И все это время — два года, пока он заканчивал подготовительное отделение, затем три года медицинского колледжа и один год ординатуры — я ни разу не пожаловалась, просто выполняла обязанности жены. Неважно, что я превратилась в чертовски скучную особу, поскольку, кроме сплетен в конторе, мне не о чем было поговорить. Дэрил тоже работал — он учился. Надо отдать ему должное, его старания окупились: его пригласили в одну из крупнейших клиник города.

Она сделала паузу, переводя дух.

— Однажды вечером я приготовила бефстроганов, одно из его любимых блюд. Он пришел, сел за стол и сказал: «Шелли, я тебя больше не люблю. И хочу развестись». — «Почему?» — расплакалась я. «Потому что я тебя перерос. У нас больше нет ничего общего». Ну вот, теперь ты понимаешь, почему мне больше не нужны в жизни никакие сложности? Я не буду ничьей бесплатной служанкой и подстилкой. Я свободный и независимый человек. Мне ни к чему встряски и падения. Если бы ты не был тем, кто ты есть, если бы связь между нами не была и без того невозможна, я все равно не пустила бы тебя в свою жизнь!

Обессиленная, она упала в кресло, откинула голову на спинку и закрыла глаза. Печальная история замужества Шелли неведома была даже ее родителям. Почему она выпалила все это Гранту, Шелли и сама не знала. Но теперь он, возможно, поймет, почему она отказывается встречаться с ним.

Единственное, о чем она умолчала, — о своих сексуальных отношениях с Дэрилом. Начавшись кошмарной брачной ночью, за пять лет они так и не улучшились. В конце концов Шелли научилась терпеть его потную и грубую «любовь». С помощью самовнушения она приучила свое тело принимать Дэрила, пусть даже ее разум отвергал его. Все, что он делал, ничуть ее не трогало; она лежала под ним как мертвая.

Вообще-то Шелли была несправедлива к Дэрилу. Она вышла за него, руководствуясь ложными мотивами. В то время она полагала, что женская зрелость и брак — одно и то же. Женщина должна выйти замуж — это общеизвестная истина, и подчинение общепринятым нормам было в то время для Шелли Броунинг чем-то само собой разумеющимся. Ей даже в голову не приходило выступить против этих правил.

Не исключено, что она сумела бы сделать счастливым Дэрила, да и себя, если бы в их браке не отсутствовал один весьма важный элемент. Она никогда не любила мужа. По-прежнему тайком лелея в своей душе яркое и негасимое пламя любви, она решила довольствоваться другим мужчиной, потому что тот, кто был ей по-настоящему нужен, был для нее недоступен.

— Шелли. — Его тихий голос, донесшийся до нее через годы, словно согрел и приласкал ее. — Мне очень жаль, что тебе пришлось столько выстрадать. Я не хочу быть для тебя очередным потрясением.

Ей хотелось закричать, что он всегда был для нее потрясением, но вместо этого Шелли смогла только устало вымолвить:

— Значит, ты не станешь настаивать на этих отношениях?

Грант печально покачал головой:

— Я не могу снова выпустить тебя из рук. Я надеялся, что мне будет достаточно лишь видеть тебя. Но после того, что произошло на днях, я понял, что больше ждать не могу. Прежде мы были недосягаемы друг для друга, но теперь уже нет.

— Как раз наоборот. Теперь — еще сильнее, чем прежде. Слишком много всего произошло в жизни каждого из нас.

— Ты пережила унижение, а я растерял остатки наивности. Оба мы больше не идеалисты и можем помочь друг другу.

— Или же причинить друг другу боль.

— Я бы хотел рискнуть.

— А я нет! — в отчаянии воскликнула Шелли и вскочила с кресла. — Ты врываешься в мою жизнь, словно паровой каток, из прошлого и ждешь, что я тут же паду ниц. Отлично, мистер Чепмен, если это польстит вашему самолюбию, признаюсь: когда-то я действительно потеряла из-за вас голову. Боготворила землю, по которой вы ступали.

Жила ожиданием дней, которые проведу с вами. Каждое свое слово и поступок взвешивала, прикидывая — а что бы подумали об этом вы? Когда мой приятель целовал меня, я представляла на его месте вас. Ну как, вы счастливы? Именно это вы хотели услышать?

— Шелли...

— Но я больше не мечтательная школьница! Если ты искал такого слепого поклонения, поищи в другом месте.

Решительно и твердо он преодолел разделявшее их расстояние. Подойдя к ней, он крепко взял ее за плечи и слегка встряхнул.

— По-твоему, мне от тебя именно это надо? Поклонение? Обожание? Нет, Шелли. Ты умная, интеллигентная женщина, и я уважаю твой ум. Но ты мне нужна как возлюбленная. Обнаженная, страстная, желающая меня так же сильно, как я желаю тебя. И не пытайся убедить меня в том, что мысль о нашей близости никогда не посещала тебя. Ты сама только что почти призналась в этом.

Он снова встряхнул ее.

— Неужели тебе не было любопытно, что бы произошло, если бы в тот вечер я поддался влечению, увез тебя, раздел, любовался бы тобой, ласкал? А я, ей-богу, только об этом и думал, проклиная моральные принципы, не позволившие мне даже взглянуть на твое обнаженное тело, дотронуться до него руками и губами, любить его...

Застонав, Шелли попыталась спрятать лицо у

него на груди, но Грант не позволил: он взял ее лицо в свои ладони и приподнял.

— Ты была несчастна со своим мужем. Тебе было неприятно заниматься с ним любовью, да, Шелли?

— Пожалуйста, — взмолилась она, пытаясь высвободиться из его ладоней. Но тщетно.

— Тебе было противно, да? — не отставал он.

Шелли задержала на миг дыхание.

— Да, — прошептала она, а затем повторила, уже громче: — Да, да, да!

— О господи! — Он порывисто привлек ее к себе и стал медленно покачивать, нежно поглаживая по голове и прижимая ее лицо к своей груди. Затем он осторожно и нежно приподнял ее подбородок.

— Ты такая красивая! — Он произнес эти слова одними губами, но Шелли услышала их. — Мне нравится дымчатый цвет твоих глаз, твой пухлый ротик. — Кончиком пальца он очертил ее губы. — А волосы у тебя такие мягкие, блестящие. — Он наклонился и прижался губами к ее губам. — Шелли, ты нуждаешься в любви. Тебе необходимо, чтобы тебя любил человек, который боготворит в тебе женщину. Позволь мне любить тебя.

— Не знаю, Грант...

— Все будет по-твоему, Шелли. Я не стану давить.

Он поцеловал ее, прижался к ней всем телом и ощутил, как она испуганно вздрогнула. Грант легонько провел большим пальцем по ее шее, коснулся пульсирующей жилки.

— Пойдешь со мной на футбол в субботу? — нежно прошептал он. Снова поцеловал, игриво куснув ее нижнюю губу. — После матча все преподаватели приглашены на коктейль к ректору. Ты же не настолько жестока, чтобы бросить меня на произвол судьбы в таком тяжком испытании.

Ей показалось, что кончик его пальца скользнул по ее груди, но прикосновение было столь неуловимым, что Шелли не могла сказать наверняка. Однако этого хватило, чтобы дыхание ее прервалось.

— Я бы себе этого никогда не простила, — выдохнула она.

Он вновь припал к ее губам, ловко используя свой язык как инструмент, предназначенный исключительно для того, чтобы дарить чувственное удовольствие.

— Заеду за тобой в субботу в два часа. — И, напоследок поцеловав ее мимолетно и жарко, вышел, закрыв за собой дверь.

* * *

— Грант, куда ты так спешишь? Ты кто, главный полузащитник?

Крепко зажав ее ладонь в своей, он пробирался между машинами на стоянке перед стадионом к воротам, где толпились любители футбола.

— Извини, — отозвался он, замедляя шаг. —

Просто думал, что такая заядлая болельщица, как ты, не захочет пропустить введение мяча в игру.

С тех пор как Шелли приняла его приглашение, она не находила себе места. Здравый смысл подсказывал, что ей следовало отказаться. Но каждый раз, когда она была рядом с Грантом, здравый смысл, очевидно, покидал ее. Если Грант так спокойно и уверенно приглашает ее домой к ректору университета, зачем же ей робеть?

С замиранием сердца она ждала, когда же он постучит в дверь, и ее ожидание было вознаграждено.

Грант выглядел просто потрясающе. Темные волосы, по обыкновению взъерошенные, тускло поблескивали в лучах осеннего солнца; спортивная рубашка и брюки подчеркивали стройную, натренированную фигуру.

— Классно выглядишь, — заметил он, оглядев ее полосатую юбку и шелковую блузку, подобранную в тон ее глазам цвета облачного неба. Без промедления и смущения Грант заключил Шелли в объятия и поцеловал с жадностью изголодавшегося мужчины. Шелли уже не пыталась сопротивляться ни себе, ни ему и обвила руками его шею.

Когда они, оба задыхающиеся, наконец оторвались друг от друга с глухо бьющимся сердцем, Грант нагнулся и шепнул ей на ухо:

— А может, ну его, этот футбол — проведем собственный матч прямо здесь! Я буду судить и вести счет. А от тебя требуется только участие.

Густо покраснев, Шелли игриво оттолкнула

Гранта и подхватила свою замшевую сумочку и синий шерстяной пиджак. Усаживая девушку в элегантный черный «Датсун-280Z», Грант все еще смеялся. Весело перебрасываясь шутками, они доехали по оживленным улицам к стадиону — впервые чувствуя себя свободно друг с другом, встретившись на равных, как двое взрослых людей, забыв о прошлых печалях и наслаждаясь настоящим.

— До чего ж весело на футбольных матчах, — шепнул он ей на ухо, когда они выбрались из машины.

Толпа подхватила их, увлекая за собой. Чтобы не разлучиться, Грант поставил Шелли впереди себя и крепко обхватил за талию. Так они и стали медленно пробираться к входу, ведущему к их местам.

Смысл этой уловки Гранта не ускользнул от Шелли. Она почувствовала, как крепко он прижался к ее бедрам, ощутила его нежное дыхание у своего уха, у щеки, на затылке.

— По-моему, ты злоупотребляешь своим положением.

— Ты абсолютно права. — Он положил свою руку повыше, под грудь Шелли. Никто в толпе ничего не заметил. — Но разве можно осуждать молодого человека, если он находится в обществе самой красивой женщины города?

— Даже красивее, чем мисс Циммерман? — язвительно поинтересовалась Шелли, вспоминая ту девицу, которая заговорила с Грантом у входа в кафе. — У нее на тебя явные виды и, кроме того, *парочка* отличных аргументов.

— Твои аргументы мне нравятся больше.

В подтверждение этого заявления он слегка приподнял ее грудь. Шелли тихонько охнула — и шедший рядом с ней мужчина тотчас встрепенулся:

— Извините. Я вам на ногу наступил?

— Нет-нет... — Она покачала головой.

Грудь Гранта сотрясалась от беззвучного хохота.

Они заняли свои места как раз вовремя, успев к началу матча, и вскоре заразились всеобщим воодушевлением. День был чудесный. Светило солнце, но из-за северного ветра погода оставалась довольно прохладной. Однако к концу первого тайма Шелли стало жарко в пиджаке, и она попросила Гранта помочь снять его, стараясь не беспокоить сидящих рядом болельщиков. Скинув пиджак, она почувствовала себя гораздо комфортнее, но не могла не отметить возросшего беспокойства Гранта.

— Что-то не так? — поинтересовалась Шелли. Грант не отводил взгляда с игрового поля. — Что-то не так? — повторила Шелли, уловив его нежелание отвечать.

— Да нет, — отрывисто бросил он. — Отнюдь. — И вполголоса чертыхнулся.

Команда хозяев поля ловким маневром вырвалась с мячом вперед, и, ошалев от восторга, зрители вскочили на ноги. Не обращая на все это внимания, Шелли дотронулась до плеча Гранта.

— Грант? — с тревогой позвала она.

Он посмотрел на нее взглядом, о котором она столько грезила в своих фантазиях, и спросил:

— Тебе обязательно было надевать такую откровенную блузку?

Ошеломленная, Шелли посмотрела на свою грудь. Сама по себе блузка была не слишком откровенной, но обманчиво легкий ветерок накрепко прижимал тонкий шелк к округлостям, скрывающимся под ним. Не в силах больше выдерживать его взгляд, Шелли торопливо вновь надела пиджак и тут же притворилась, будто всецело поглощена событиями захватывающего матча.

Игра закончилась весьма драматически: команда хозяев поля одержала победу, забив решающий гол в последние две минуты. Обратный путь со стадиона был столь же долгим; они шли рядом, рука Гранта покоилась на ее спине, а бедра их соприкасались при ходьбе.

— Знаешь, я вообще-то не жаловался, — заявил Грант, вгоняя ее в краску.

— Я же не нарочно, — резко ответила она, останавливаясь, чтобы взглянуть ему в глаза; но толпа зрителей тотчас подтолкнула их вперед.

— А я и не думал, что нарочно. Извини, если я тебя смутил.

Искренность его голоса и взгляда покорили ее. Она улыбнулась, мгновенно простив его.

— Я тоже хочу извиниться, что вела себя так ершисто.

Грант понимающе сжал ее руку.

Уже в машине, ожидая, когда освободится выезд со стоянки, Грант спросил:

— Не возражаешь, если заедем на минутку ко мне? Мне надо сменить рубашку и подобрать галстук.

— Хорошо, — с улыбкой согласилась она, хотя сердце ее екнуло.

Его двухэтажный домик находился в нескольких кварталах от университетского городка, в одном из современных районов, местечке, столь же тихом и уединенном, как и обиталище Шелли. Открыв дверцу «Датсуна», Грант помог ей выбраться из машины, затем проводил по выложенной камнем дорожке к своей парадной двери.

— У меня не такой уютный вход, как твой, — заметил Грант.

— Зато у тебя чудесная квартира! — отозвалась Шелли, переступая порог.

На первом этаже размещалась одна большая комната с камином и огромными окнами. Из-за жалюзи виднелась маленькая кухонька. Винтовая лестница вела наверх, в спальню. Круглый стол в большой комнате был завален огромными учебниками по государству и праву. На книжных полках рядами были выстроены журналы. В картотечных шкафах лежали папки. Все выглядело аккуратным и обжитым.

— С той стороны кухни есть душевая, если хочешь освежиться, — сообщил Грант, взбегая по лестнице.

— Да нет. Но макияж, пожалуй, подправлю.

Она принялась рыться в сумочке, молясь в душе, чтобы не так заметно дрожали пальцы. В конце концов, отчаявшись найти помаду, она открыла пудреницу, которая едва не выскользнула из ее ладони, когда сверху послышался голос Гранта:

— Ну, как ты там? Сидишь тихо, как мышка.

— Все в порядке, я...

Закончить свою мысль ей так и не удалось — слова застряли в горле. Разбрызгивая одеколон по щекам, Грант перегнулся через перила лестницы... обнаженный до пояса.

Грудь его покрывали темные волосы, словно приглашая дотронуться до них, попробовать их на ощупь. Шелли поймала себя на том, что разглядывает завитки прямо над позолоченной пряжкой ремня Гранта, — и тотчас живо вспомнила, как ласкала его в библиотеке. По всему ее телу разлилась какая-то странная слабость, но отвести взгляд она не смогла.

— Сейчас спущусь к тебе, — пообещал Грант и, улыбнувшись, скрылся из поля ее зрения.

Прилагая немалые усилия, чтобы не выронить пудреницу, Шелли закрыла ее и убрала в сумочку, после чего принялась искать расческу.

— Ч-черт!

Приглушенное ругательство донеслось сверху. Шелли услышала шорох, затем — снова ругательство.

— Что случилось?

— Да пуговица от рубашки оторвалась, а у меня нет другой чистой, чтобы подходила к пиджаку, который я собирался надеть.

— А нитка с иголкой у тебя найдется?

— Конечно.

— Неси сюда. Посмотрим, что можно сделать.

Не прошло и минуты, как он уже сбегал по лестнице со скоростью, от которой у Шелли закружилась бы голова.

— Нам повезло: здесь есть голубая нитка, — сообщил он, доставая из дорожного набора картонку, обмотанную разноцветными нитками. На другой такой же картонке аккуратно крепилась тонкая игла.

Шелли взяла у него швейные принадлежности, в душе радуясь, что ей будет чем заняться и не придется смотреть на Гранта. Рубашку он не застегнул, а созерцать эту удивительно мужественную грудь вблизи оказалось еще волнительнее, чем на расстоянии.

— Где пуговица?

— Вот. — Он протянул ей маленькую белую пуговку.

— Ты... снимешь рубашку?

— А ты не можешь пришить прямо так?

Шелли едва не поперхнулась.

— Д-да, конечно, — ответила она с напускной уверенностью, от которой была далека. Каким-то образом, невзирая на дрожащие пальцы, ей удалось продеть бледно-голубую нитку в иголку.

— Может, лучше присесть? — предложил он.

— Нет-нет. И так хорошо.

Оторвавшаяся пуговица была третьей от воротничка. Поборов смущение, Шелли зажала между пальцев ткань и, натянув ее, проткнула иголкой.

Обойдясь без узелка, она действовала так проворно, как могла. Ни на миг не забывая, что под ее руками — обнаженная грудь Гранта, она старалась не дотрагиваться до нее. Однако ее пальцы обжигало щекочущее прикосновение пружинистых волосков и жар его кожи. Были мгновения, когда он, казалось, вообще не дышал. Когда же дыхание его освобождалось, Шелли ощущала его на своем лбу и щеках. Она готова была поклясться, что слышит глухой, учащенный стук его сердца, — но, возможно, это бьется ее сердце? Закрепляя нитку, она поняла, что все ее чувства звенят в ее теле самой высокой нотой.

— Ножницы есть? — хрипло спросила она.

ГЛАВА 5

— Ножницы? — Грант произнес это слово так, будто впервые его услышал. Он неотрывно смотрел в глаза Шелли, одну за другой уничтожая защитные преграды, пока не заглянул в ее душу. — Я не знаю, где они, — отозвался он наконец.

— Ну и ладно. — Не задумываясь, а лишь желая поскорее закончить эту процедуру, совершенно лишившую ее сил, Шелли нагнулась и перекусила нитку зубами. И только потом осознала, что губы ее находятся в нескольких миллиметрах от груди Гранта.

— Шелли, — вздохнул он.

Руки его осторожно коснулись ее волос. Шелли была не в силах отвернуться. Разум велел ей отпрянуть, уйти, убежать, но тело отказывалось повиноваться. Вместо этого она поддалась искушению момента, даже не пытаясь побороть непреодолимое влечение, захлестнувшее ее подобно гигантской волне. Она нежно потерлась носом о грудь Гранта.

— Еще, Шелли, еще. Прошу тебя.

Судя по всему, его подхватила та же волна, что и ее; голос его срывался, лишившись привычной звучности. Обеими ладонями Грант обхватил голову Шелли.

Она закрыла глаза. Губы ее коснулись его, поначалу робко, но затем, вдохновленная выразительным откликом тела Гранта, Шелли целовала его снова и снова, прокладывая дорожку из поцелуев по его широкой груди.

Когда губы ее наткнулись на его сосок, Шелли приподняла голову...

Секунды растянулись в вечность. Гипнотические движения его рук замерли. Он ждал.

— Ты хочешь, чтобы я это сделала? — прошептала она.

— А *ты* хочешь?

Не успела Шелли понять, что она делает, как ее язык уже коснулся соска Гранта и принялся ласкать его легкими дразнящими движениями.

Коротко вскрикнув, Грант обнял ее.

— О боже, какая же ты чудесная. Такая чудесная...

Шелли откинула голову назад, и он прильнул к ее губам. Они слились в жарком, жадном поцелуе. Язык Гранта проник в ее рот с уверенностью завоевателя. Помня об иголке, все еще зажатой в ладони, Шелли обвила одной рукой шею Гранта, привлекая его все ближе. Вторая ее рука оставалась на его груди, перебирая густую поросль, поглаживая тугие мышцы.

Грудь ее, казалось, набухла от наполнивших ее чувств. Чуть отстранившись, Грант опустил руку ниже и дотронулся до нее. Пальцы его нежно скользнули по чувствительным бугоркам — и те тотчас же затвердели под тонким шелком. Он ласкал ее столь искусно, что, не в силах сдержаться, девушка выкрикнула его имя.

— Шелли, ты когда-нибудь мечтала об этом? Чтобы я вот так дотрагивался до тебя?

— Да, да!

— И я тоже. Да простит мне господь, но сколько же я фантазировал, даже когда ты была слишком юной, чтобы участвовать в такого рода фантазиях. — Губы его неторопливо скользили по ее устам, словно исследуя. — Теперь же мы можем осуществить все свои мечты, — с жаром произнес он.

Шелли обессиленно приникла к нему, всем своим существом желая сдаться, но в то же время сознавая, что это будет неразумно. Она любила его. В какой-то момент из десяти минувших лет она пришла к этому неоспоримому заключению. Он больше не был идолом, предметом ее девичьих грез, — он стал мужчиной, предназначенным для нее, и она мечтала, чтобы их любовь стала явью.

Но вдруг для него она всего лишь новая игрушка? Пока она жила своей грустной жизнью, тоскуя по нему, постоянно о нем думая, мечтая о невозможном, создавая в своих грезах романтические сцены, которым не суждено было осуществиться, Грант жил в Вашингтоне суматошной и бурной жизнью. «Интересно, — подумала Шелли, — он действительно вспоминал обо мне или же его методы уложить меня в постель более изощренные, нежели у Дэрила?»

Из развалин своего неудавшегося замужества Шелли построила для себя новую жизнь. Ее планы на будущее были тщательно выверены, и все шло согласно намеченному. А стоит ей пустить в свою жизнь Гранта Чепмена — и он нарушит эти планы, если вообще не разрушит их подчистую.

Покидать его объятия было так больно, но Шелли постепенно отстранялась, и Грант, наконец сдавшись, выпустил ее из объятий. Отвернувшись, она подошла к окну и уставилась на сгущавшиеся сумерки. Слух ее уловил приглушенные шаги по толстому ковру; Грант подошел и остановился позади нее.

— Я никогда не был любовником Мисси Ланкастер.

Он не дотрагивался до нее, однако его слова заставили Шелли порывисто обернуться.

— Грант, — с грустью произнесла она, — все это не имеет к нам никакого отношения. Я не хочу, чтобы мы... мы... переспали... Но это вовсе не из-за того, что произошло между тобой и той девушкой в Вашингтоне.

— Я рад, потому что между мной и Мисси ничего не было. Во всяком случае, не было того, о чем все думали. Но рассказать правду я не мог — это значило бы разгласить чужую тайну, нарушить данное мною слово. — Он обнял ее за плечи. — Поверь мне, Шелли. Я не обманываю, — почти закричал он, еще крепче сжимая ее плечи.

— Я верю тебе, Грант.

Вздохнув, он немного ослабил руки на плечах девушки.

— Спасибо. — Он легко поцеловал ее в губы. — Ну что, пойдем? Я не могу рисковать своим положением на факультете, опаздывая на вечеринку к ректору.

Грант вновь облачился в спортивный пиджак и повязал на шею галстук. Шелли успела посетить ванную комнату, где подправила свой макияж — что теперь действительно было нелишне — и причесалась.

Вскоре они покинули уютный домик. Ректор жил на территории университета. Выстроенный на холме дом в колониальном стиле выглядел впечатляюще; шесть белых колонн украшали широкий портик. Грант припарковал «Датсун» на стоянке у подножия холма, и они пешком двинулись наверх, к парадному входу.

— Скажи-ка, Шелли, — вроде бы невинно поинтересовался Грант, — если вашингтонская история ни при чем, почему же ты остановила меня?

Шаги ее замерли на посыпанной гравием аллее. Однако Грант увлек ее вперед, взяв под локоть.

— Я не могу так быстро, мне нужно время, — тихо ответила она. — Я должна убедиться в своих чувствах, понять, реальны ли они — или это всего лишь желание сохранить то, что я испытывала к тебе десять лет назад.

Это было ложью. Она знала, что любит его, всегда любила и всегда будет любить. Но пока она не хотела, чтобы он это узнал.

— Я не уверена, что вообще хочу сейчас быть с кем-то близкой. Слишком большого труда мне стоило привести в порядок свою жизнь. И теперь, когда мне вроде бы это удалось, я боюсь рисковать. — Она остановилась и в упор посмотрела на Гранта. — Я не очень-то изменилась со школьных времен. Во всяком случае, в отношении моральных принципов. Секс для меня не развлечение и не игра. Я не смогла бы переспать с тобой, а на следующий день беспечно идти своей дорогой, будто ничего и не произошло.

Огонь, полыхавший в ее глазах, словно передался и его взору.

— Я рад, что это так. Поверь, стоит мне однажды переспать с тобой, и я вряд ли смогу тебя отпустить.

Пораженная его словами и тем, как он легко и

твердо это произнес, она стояла, завороженная его взглядом. Наконец, выйдя из оцепенения, Шелли произнесла:

— И кроме того, мы по-прежнему учитель и ученица.

Откинув назад голову, он негромко рассмеялся.

— Всегда можно прибегнуть к этому вескому аргументу, верно?

Шелли тихо улыбнулась в ответ.

— Придумай-ка оправдание получше, Шелли. Кого, черт возьми, *это* волнует?

* * *

Ректора Мартина волновало.

Вечеринка оказалась скучной и неинтересной, как и предсказывал Грант. Едва дворецкий впустил их с Шелли в дом, последовали торжественные приветствия от хозяев дома и почетных гостей. Внешность ректора Мартина как нельзя лучше гармонировала с его профессорской карьерой: суровый с виду, он был высок и статен, седовлас, с высоким лбом. С Шелли он поздоровался весьма любезно, однако от нее не ускользнул оценивающий взгляд его острых голубых глаз.

Жена его, дородная матрона с подсиненными седыми волосами, обратилась к Гранту и Шелли с неискренней улыбкой, словно надетой на лицо. Очевидно, ее куда больше интересовало, как поэффектнее разместить на своей пышной груди гроздь бриллиантов.

— Ты можешь представить себе миссис Мартин извивающейся в пароксизмах страсти? — негромко поинтересовался Грант, когда они отошли в сторону. Шелли едва не выронила бокал, который только что взяла с серебряного подноса проходящего мимо официанта. Она сотрясалась от беззвучного хохота.

— Замолчи, — процедила она сквозь зубы, пытаясь сохранить на лице приличное выражение. — Из-за тебя я могла бы пролить вино, и мне пришлось бы сдавать в чистку эту блузку, а ведь ее вполне можно надеть еще раз.

Они смешались с толпой, и Шелли не могла не заметить, что все находящиеся в комнате женщины, будь то сотрудницы факультета или жены многочисленных коллег, тянулись к Гранту, подобно голубям, устремляющимся на место своего гнездования. Ее уже тошнило от их коварных вопросов, намеренно вовлекающих Гранта в разговор о Мисси Ланкастер и ее самоубийстве. Однако ему удалось искусно перевести беседу в иное русло.

Мужчины, удобно расположившись в уголке, обсуждали последний футбольный матч и шансы университетской команды в матче за кубок. Грант представил Шелли, не поясняя, кто она, но один из ее бывших преподавателей все равно ее вспомнил. Шелли не сомневалась, что разговоры об их преподавательско-студенческом альянсе, подобно дыму, уже распространяются среди приглашенных.

Час спустя Шелли и Грант очутились в рабочем кабинете ректора Мартина. Они обсуждали достоинства триктрака перед шахматами, когда в кабинет вошел ректор собственной персоной.

— А-а, вот вы где, мистер Чепмен. Я как раз собирался перекинуться с вами парой слов. — Голос его звучал вполне дружелюбно, однако решительность, с которой он закрыл за собой двойные двери кабинета, пробудила в Шелли дурные предчувствия.

— Мы любовались этой комнатой, — весело заметил Грант. — Она просто великолепна, как, впрочем, и весь дом.

— Да-с... что ж, — отозвался ректор, зачем-то кашлянув, — как вам известно, дом этот — собственность университета, но, когда меня назначили ректором и мы здесь поселились, Марджори заново все отделала.

Подойдя к книжным полкам, ректор сложил руки за спиной и приподнялся на носках туфель.

— Мистер Чепмен...

— Прошу прощения, — пробормотала Шелли и направилась к двери.

— Нет-нет, миссис Робинс, поскольку это касается и вас, я бы попросил вас остаться.

Украдкой глянув в сторону Гранта, Шелли согласилась:

— Хорошо.

— Ну так вот, — веско произнес ректор, — как вам известно, наш университет предъявляет к своим сотрудникам и студентам высокие требования — это относится и к науке, и к морали. Мы, я имею в виду совет директоров, заботимся о высочайшей репутации нашего учебного заведения. Поскольку церковь вносит самый значительный финансовый вклад в бюджет нашего университета, мы обязаны дорожить своим добрым именем. А следовательно, — продолжал он, обведя глазами кабинет и устремив на них взгляд, призванный вселить ужас в душу любого злодея и еретика, — сотрудники нашего факультета должны иметь безупречную репутацию как в стенах университета, так и за их пределами.

Вокруг воцарилась гробовая тишина. Ни Грант, ни Шелли не произнесли ни слова и не двинулись с места, но краем глаза Шелли заметила, как сжались кулаки Гранта.

— Мистер Чепмен, мы шли на определенный риск, когда нанимали вас в качестве преподавателя. Члены совета директоров внимательно изучили ваше заявление о приеме на работу. Они сочли, что вашингтонская пресса обошлась с вами несправедливо. И великодушно поверили вам, памятуя о презумпции невиновности.

У вас отличные рекомендации. Когда вы начнете печататься — а вы, помнится, изъявили такое желание, — это будет весьма лестно для нашего университета. Однако ваше общение со студенткой, пусть даже старшего курса, делает вас уязвимым для критики и выставляет университет в невыгодном свете. Тем более что вышеупомянутое прискорбное событие у всех свежо в памяти. Посему я вынужден просить, чтобы вы и миссис

Робинс, чей статус разведенной дамы лишь усугубляет сомнительность ситуации, прекратили встречаться друг с другом в неофициальной обстановке.

Гранта не впечатлили ни приказ ректора, ни его благочестие.

— А иначе что? — спокойно поинтересовался он. Сдержанный тон заметно диссонировал со свирепым выражением его лица.

— В противном случае мы будем вынуждены пересмотреть ваш контракт в конце семестра, — ответил ректор Мартин.

Грант подошел к Шелли и взял ее под руку.

— Вы не только оскорбили меня и подвергли сомнению мою нравственность, которая, я уверен, вполне соответствует университетским нормам, вы еще и оклеветали миссис Робинс...

— Грант...

— ...чья репутация безупречна. — Мистер Чепмен подхватил тон и интонации ректора.

Она пыталась вмешаться, опасаясь, что, защищая ее, он вызовет еще больший гнев. Ибо, судя по мертвенно-бледному лицу мистера Мартина, не многие могли позволить себе игнорировать его предупреждения — если вообще таковые находились.

— Благодарю вас за гостеприимство, — продолжал между тем Грант, увлекая Шелли к дверям. — И поблагодарите от нас миссис Мартин.

Грант широко распахнул двери, вышел из кабинета с гордо поднятой головой и проследовал мимо гостей к парадному входу. Если он и заметил, как, словно по команде, поворачивались вслед ему головы собравшихся, — то не подал виду. Шелли оставалось только уповать на то, что щеки ее пылают не слишком ярко, а колени не подогнутся, пока они с Грантом хотя бы не выйдут за порог дома.

Ей удалось продержаться на ногах до самой машины. Едва Грант открыл дверцу «Датсона», как Шелли без сил рухнула на сиденье, дрожа всем телом.

Только выехав на оживленную магистраль и влившись в поток машин, Грант заговорил:

— Я здорово проголодался. Что предпочитаешь? Пиццу?

Она уставилась на него, не веря своим ушам.

— Пиццу?! Грант, ректор университета только что пригрозил тебя уволить!

— Ну, этого он не сумеет сделать, не заручившись большинством голосов в совете директоров. А невзирая на мою дурную славу и окружающую меня скандальную ауру, некоторые из членов совета обожают сенсации и хотели бы иметь меня под рукой. Другие же понимают, что я чертовски хороший преподаватель. Единственное, что приводит меня в бешенство, — это то, что он сказал про тебя. Болван лицемерный! Представься ему такая возможность, наверняка сам бы не отказался встретиться с тобой «в неофициальной обстановке».

— Грант! — Закрыв лицо руками, Шелли разрыдалась.

Видя ее страдания, Грант и сам помрачнел. Всю дорогу до ее дома они ехали в тишине, не считая изредка доносившихся сдавленных всхлипов Шелли. Сделав последний поворот, Грант резко затормозил у обочины. Недавнее приглашение на ужин было забыто.

Бесконечно долго они сидели в молчании. Профиль Гранта в мягком свете уличного фонаря казался грозным, чем-то неуловимо напоминая ректора Мартина. Набравшись смелости, Шелли заговорила первая:

— Мы больше не сможем встречаться, Грант. Так, как сегодня.

Он повернулся и, взявшись за спинку своего сиденья, пристально посмотрел Шелли в глаза:

— Ты позволишь этой ходячей пародии на респектабельность нас разлучить?

Шелли утомленно вздохнула.

— Я знаю, что он собой представляет, и не придала бы его мнению никакого значения, если бы не его высокий пост. Но он ректор университета, а ты его подчиненный.

— В моем контракте не было оговорено, кому я могу назначать свидания, а кому — нет.

— Но существует неписаный закон, запрещающий преподавателям встречаться со студентками. И я несколько недель назад пыталась объяснить тебе, что́ о нас тут подумают. Но ты не желал слушать.

— Что же плохого мы делаем? — вскричал Грант, теряя самообладание, которое так усердно старался сохранить. Однако, увидев, как съежилась Шелли, вполголоса выругался и шумно выдохнул. — Извини. Я же не на тебя злюсь.

— Понимаю, — тихо отозвалась она.

Причиной его гнева была безвыходность положения, однако Грант не желал этого признать.

— Конечно, мне больше не нужны в жизни встряски и крутые повороты! Особенно если это каким-то образом может коснуться тебя. Но, черт побери, я не могу и отказаться от тебя.

— Придется. Как, по-твоему, я буду себя чувствовать, если из-за меня ты потеряешь работу? Думаешь, я смогла бы это пережить?

— Я решал проблемы и посложнее, Шелли. Поверь, я сильный. Меня это не тревожит.

— Зато меня очень тревожит. — Она взялась за ручку дверцы. — До свидания, Грант.

Он удержал ее за локоть.

— Я не позволю им разлучить нас, пусть грозятся сколько угодно! И тебе не позволю вот так запросто от всего отказаться. Шелли, ты очень нужна мне. Я хочу тебя. И знаю, что ты тоже меня хочешь. Поверь, это все очень серьезно.

— Нет... — прошептала она, и в следующее мгновение губы его слились с ее губами. Это был горький поцелуй, страсть смешалась в нем с грустью.

Удерживая Шелли одной рукой, другой Грант коснулся ее груди. Его нежные поглаживания тотчас вызвали в ней сильный отклик. После чего умудренный в искусстве обольщения Грант принялся умело ласкать грудь Шелли, ее затвердевшие соски — неоспоримое доказательство ее разгорающегося желания.

— Не надо, прошу тебя... — взмолилась она, — не трогай меня больше.

Грант начал целовать ее податливые губы.

— Не лишай нас этого, Шелли. После стольких лет разлуки не отнимай у нас это. Разве мы еще не сполна заплатили за это? Я хочу узнать тебя всю, целиком.

Он начал с ее ушка; старательно исследовал его своим нежно-шершавым языком, поглаживая и дразня. Рука Шелли безотчетно сжала его бедро. Ощущая сквозь ткань брюк его жесткие мышцы, она все горячее ласкала тело Гранта, когда вдруг его прикосновения вызвали в ней новый всплеск возбуждения.

Не будь Грант и без того одержим желанием овладеть ею, движения ее руки сказали бы ему о многом. А теперь ее безотчетная ласка еще ярче разожгла пламя его страсти, вселила в него еще большую решимость развеять страхи и сомнения.

Он касался губами гладкой кожи ее шеи, груди, то легонько прикусывая, то поглаживая кончиком языка. Шелли почувствовала, что с радостью погружается в ураган охвативших ее эмоций, и захотела вдруг ринуться в этот водоворот, сотворенный ласками Гранта.

Не желая тратить время на возню с одеждой, он ласкал Шелли сквозь ткань ее блузки. Кожа на ее роскошной груди пламенела от его горячих поцелуев. А когда Грант прикоснулся к соску, она в сладкой истоме проговорила его имя и прижала к себе его голову. Пальцы ее перебирали его непокорные волосы.

Язык Гранта очертил контуры возбужденного соска, обжигая сквозь голубой шелк и кружевную ткань бюстгальтера. Дыхание Шелли участилось, когда ласки Гранта сделались более настойчивыми, а когда губы его сомкнулись вокруг ее соска, она вскрикнула.

Он же продолжал ее ласкать — сначала одну грудь, потом другую, лишь на миг прерывая поцелуи, чтобы с бесконечной нежностью произнести ее имя.

Шелли не возражала, когда рука его пробралась под ее юбку и стала поглаживать бедро. Шелковистая ткань колготок только обострила ее чувствительность. Шелли словно растворилась под его прикосновениями, поощряя своими движениями смелые изыскания Гранта.

Как ни были они возбуждены, оба оказались не готовы к тому взрыву эмоций, который сотряс их, когда ладонь Гранта добралась до заветного треугольника. Он припал головой к ее груди, пальцы Шелли запутались в его темных волосах.

Нашептывая нежные слова, Грант погладил чуть выступающий холмик, и Шелли обмякла, желая принять в себя настойчивую плоть Гранта.

— Шелли, я хочу любить тебя, я иду к тебе, дорогая, — простонал он, крепче сжимая ее в объятиях.

Господи, что же она медлит?! Чего еще ждет? Об этом мужчине она мечтала всегда — и вот он, рядом, готовый отдать ей свою безудержную страсть. Почему же она так упорно отказывается ее принять? Потому что это не сказка — это жизнь. В реальном мире так не бывает. И мужчина, которого женщина любила и желала долгие годы, никогда не возвращается в ее жизнь подобно рыцарю на белом коне. Слишком это было бы хорошо. А чудес не бывает. И когда-нибудь неминуемо настанет час расплаты.

Легче всего было бы поддаться сейчас магии его нежных слов и своему жгучему влечению. Да, она хочет его — вполне возможно, без него она вообще не сможет жить, но они не вправе ставить на карту их жизнь и карьеру ради удовольствий одной ночи. А все, быть может, этим и ограничится.

Сейчас Грант горит желанием рискнуть, завести интрижку. В конце концов, он всегда сможет освободиться от нее. Когда она ему надоест, он снова переступит через все, что было между ними, и сможет попросту исчезнуть, а она вынуждена будет заново собирать обломки своей жизни.

Нет, она вовсе не считает Гранта столь бессердечным. Но ведь прежде она и в Дэриле не предполагала подобной жестокости. В подобных ситуациях женщины всегда оказываются во власти мужчин, которых любят.

Как бы сильно она ни любила Гранта, она не станет снова зависеть от его прихоти.

Сначала Грант даже не понял, что она пытается высвободиться из его объятий. Тело ее вдруг напряглось, она словно закрылась вся наглухо, руки отчаянно старались оттолкнуть его. Грант растерянно смотрел на нее, не допуская мысли, что Шелли не хочет разделить его страсть.

— Шелли, что случилось?

— До свидания, Грант, — Шелли отодвинулась от него и, резко распахнув дверцу машины, выскочила на тротуар.

— Шелли! — крикнул Грант ей вслед, но она не оглядываясь понеслась по аллее, влетела в свой дом и захлопнула дверь, будто за ней черти гнались.

Словно запрограммированный робот, начисто лишенный чувств, она побрела в спальню. С ужасом взглянув на два влажных пятна на блузке, она освободилась от одежды. Все же придется сдать ее в чистку, подумала Шелли и отчаянно разрыдалась.

* * *

Воскресенье она провела, уединившись дома. Весь день лил дождь, да ей и без того не хотелось выходить на улицу. С утра позвонила мама, поинтересоваться, что нового в жизни Шелли и нравится ли ей в университете. Шелли не стала ничего рассказывать о своем преподавателе политических наук.

Целый день она бродила по дому, время от времени поглядывая на телефон. Шелли надеялась, что Грант позвонит, но он так и не позвонил.

В понедельник вечером она спорила сама с собой, пойти ли завтра на лекцию Гранта или же бросить этот семинар, как она грозилась неделю назад. Причин для принятия такого решения было предостаточно. Однако она ухитрилась выдвинуть основания.

Во-первых, она не желает доставлять удовольствие ректору Мартину, поддаваясь на его угрозы. Сама мысль сдаться так легко была невыносима.

Во-вторых, она не хочет, чтобы Грант считал ее трусихой. Однажды он уже назвал ее так и был недалек от истины, но выглядеть в его глазах пугливой овцой ей совершенно не хотелось. Она ведь похвасталась ему, что смогла «навести порядок» в своей жизни, стать независимой и самостоятельной. Хороша же она будет, если спасует при первых же трудностях и позорно отступит, — да он сочтет ее законченной дурой и недостойной того внимания, которое он ей уделял. Мысль эта больно ранила ее, такого она не переживет.

Во вторник, с заплаканными глазами и мрачной решимостью во взоре, Шелли вошла в университетскую аудиторию. Грант стоял, склонившись над письменным столом, и просматривал свои записи. Подбородок его дернулся и напрягся, явно выдавая: Грант понял, что она пришла. Но взглядом ее он не удостоил.

Так продолжалось две недели. Он ни разу не взглянул на нее. Несколько раз Шелли так и подмывало принять участие в жарких дискуссиях, которые устраивал мистер Чепмен, но она воздержалась.

Она будет хранить молчание, пока молчит он.

Однажды, намеренно придя на занятия пораньше, чтобы попытаться вынудить Гранта с ней заговорить, Шелли застала его в обществе мисс Циммерман.

Девица устроилась на краешке его стола в весьма обольстительной, откровенной позе. Грант смеялся, откинувшись на стуле, так что ноги его упирались в стол в непосредственной близости от мисс Циммерман. Шелли с трудом поборола искушение выбить из-под Гранта стул и звучно отхлестать мисс Циммерман по нарумяненным щекам.

Разозленная на него и на себя — за то, что так близко к сердцу все приняла, — во время лекции она не сделала ни единой записи. Кипя от злости, она не отводила взгляда от окна, вид из которого, похоже, целиком поглотил ее внимание. По окончании занятия Шелли схватила свои книги и бросилась вон из класса.

— Миссис Робинс?

Шелли резко остановилась — и шедший сзади молодой человек тут же налетел на нее сзади. Сначала она не хотела откликаться, но остальные студенты слышали, как Грант к ней обратился, и ей совсем не хотелось давать ему дополнительную пищу для насмешек. Расправив плечи,

Шелли обернулась и взглянула в его серо-зеленые глаза.

— Да? — произнесла она как можно прохладнее, хотя кровь закипела в ее жилах, едва он произнес ее имя.

— Мне нужен ассистент в исследованиях. Возможно, вас заинтересует эта работа... миссис Робинс?

ГЛАВА 6

Поток студентов, покидающих аудиторию, обтекал Шелли, которая стояла как вкопанный столб и смотрела на Гранта.

За кого он ее принимает, за куклу, которая будет плясать, стоит ему дернуть за нужную веревочку? Несколько недель даже не взглянул на нее, а теперь просит быть его ассистентом!

— Я... вряд ли, мистер Чепмен, — ледяным тоном отозвалась она.

Но не успела Шелли отвернуться, как он поспешно добавил:

— По крайней мере, позвольте мне подробно рассказать вам об этой работе, а уж потом, если вы не заинтересуетесь, я обращусь к кому-нибудь другому.

Со стороны их разговор выглядел вполне обычно, но за любезными фразами таилась отвергнутая страсть и враждебность. Шелли так и подмывало накинуться на Гранта с гневными упреками — ведь несколько недель он не обращал на нее внимания! — и в то же время так хотелось броситься к нему на шею, умоляя обнять и приласкать ее.

Шелли презирала себя за эту слабость! Не желая выдавать своих чувств, она сохранила на лице бесстрастное выражение и держалась подчеркнуто сдержанно.

Когда аудиторию покинул последний студент, Грант спокойно сказал:

— Присаживайтесь, миссис Робинс.

— Лучше постою. Мистер Чепмен, я тороплюсь. Меня не интересует работа в качестве вашего ассистента.

Покачав головой, он раздраженно потер ладонью затылок. Вспомнив, как он описывал внешность типичного профессора, Шелли едва не рассмеялась: Грант совершенно не соответствовал этому описанию. Брюки безупречного покроя как влитые сидели на его узких бедрах; клетчатая рубашка рельефно обрисовывала гладкие мышцы груди и плеч. Оторвав взгляд от темных волос, выглядывающих из-под расстегнутого ворота, она встретилась взглядом с Грантом.

Его глаза смотрели на нее с непередаваемой нежностью, в них она прочла страсть и тоску, словно отражение собственных чувств.

— Мне нужен помощник, который выполнял бы для меня кое-какие исследования, миссис... к черту... Шелли. От тебя потребуется прочесть кое-какие материалы и подготовить по ним отчеты. Устные, не письменные. На следующей неделе у нас экзамен, и мне нужна будет помощь в проверке письменных работ. Я веду пять групп, и в каждой по сорок и более студентов.

Шелли изучала носок своей туфли; конечно, это было не так интересно, как созерцание его мужественной фигуры, зато вполне безопасно. Когда она взглянула наконец на Гранта, здравомыслие покинуло ее.

— Я не смогу вам помочь, — постаралась как можно убедительнее произнести она.

— Ты отлично учишься, — продолжал он, словно не слыша ее слов. — Понимаю, что в этом семестре у тебя большая нагрузка, но ведь ты не работаешь и не обременена семьей. А ты так нужна мне.

Она в упор посмотрела на него. Слова эти прозвучали отголоском услышанных ею прежде, хотя выражение его лица заставило Шелли заподозрить в этой фразе двоякий смысл. Но он выбрал верные слова, и Шелли почувствовала, как сопротивление ее тает.

— Уверена, вы могли бы найти кого-нибудь другого, — уже не так решительно проговорила она.

— Наверняка мог бы. Но мне не нужен никто другой. Мне нужна ты.

Неестественно напрягшиеся мышцы ее спины расслабились, плечи вновь обрели женственные очертания. Избегая его взгляда, Шелли снова уставилась на пасмурный, дождливый пейзаж за окном.

— Г-где бы вы хотели работать?

— Удобнее всего — у меня дома: там все бумаги. Таскать их туда-сюда слишком тяжело. У меня отличная подборка материалов для экзамена, и все такое прочее.

Она покачала головой:

— Это было бы неразумно, Грант. — Не желая признаться, что для нее будет невыносимо находиться с ним наедине в той уютной комнате, Шелли напомнила: — Если ректор Мартин узнает...

— Я скажу ему, что мне нужен был помощник, и это чистая правда, а ты моя лучшая студентка, и это тоже правда.

— На мой взгляд, гораздо лучше было бы взять этого самого необходимого тебе помощника из числа студентов мужского пола.

Впервые уголки его рта приподнялись в улыбке.

— Лучше для кого? — Добившись от нее ответной робкой улыбки, он с неподдельной нежностью произнес: — Мне так тебя не хватало, Шелли.

— Не надо, — закачала она головой, — прошу тебя, не надо. Не усугубляй все, так только хуже...

— Но это ты все усугубляешь. Я обещал, что все будет по-твоему, но больше я не в силах выносить такую неопределенность.

— Почти три недели ты не обращал на меня внимания! — воскликнула Шелли; в ней заговорила уязвленная женская гордость. — Как будто я умерла.

— О нет, Шелли. Я все время думал о тебе и надеялся — пусть это звучит жестоко, — что ты страдаешь не меньше меня. Каждую ночь я ложился в постель с мыслями о тебе, твоем запахе, твоем вкусе...

— Прекрати...

— Я так сильно тебя хочу, что все тело болит. — Он сделал шаг вперед и положил руки на ее плечи. — Шелли...

Дверь открылась.

— Мистер Чеп... О, прошу прощения, — вкрадчиво протянула возникшая на пороге студентка и, прищурившись, развязно прислонилась спиной к дверному косяку.

Шелли поспешно вытерла слезы и отвернулась к окну.

— В чем дело, мисс Циммерман? — раздраженно спросил Грант.

Девица, явно не из пугливых, встретила его строгий взгляд нахальной улыбкой.

— Ни в чем. Это вообще-то может подождать. Зайду попозже, — небрежно бросила она и вышла, плотно закрыв за собой дверь.

Несколько секунд оба стояли не двигаясь, затем Грант подошел к Шелли:

— Изви...

Она порывисто обернулась:

— Почему бы тебе не пригласить ее к себе в помощницы? Кажется, она на все для тебя готова.

Удивление, отразившееся на его лице, вызвало у Шелли удовлетворение, однако не умерило ее гнев. Она обрушила на Гранта злость, которую испытывала к самой себе: она ничуть не лучше других девиц, кидающихся ему на шею. Сколькими же сердцами он забавляется? Мысль, что она может стать одной из наложниц его гарема, взбесила Шелли.

— Не сомневаюсь, что твоя мисс Циммерман и ей подобные сгорают от желания проводить с тобой долгие вечера, корпя над твоими пыльными учебниками.

Гранту стоило немалых усилий совладать с собой: это выдавали желваки, ходуном заходившие на его скулах, и побелевшие костяшки судорожно сцепленных пальцев.

— Она не «моя», эта мисс Циммерман! И вообще, при чем здесь она? Глупая девчонка, и только. И что из этого? Доверяй же мне хоть немного, Шелли! — раздраженно воскликнул он. — Итак, ты станешь помогать мне или нет?

Это был вызов, дерзкий и бескомпромиссный, и Шелли следовало принять его.

— Да, я тебе помогу. Проведу для тебя необходимые исследования и буду проверять экзаменационные работы. Но учти, это чисто деловое соглашение.

— Отлично.

— Я серьезно. Чистый бизнес.

— Понимаю.

Оба они лгали себе и друг другу, и оба сознавали это.

— Сколько же ты собираешься мне платить?

Чертыхнувшись вполголоса, Грант засунул руки в карманы брюк, отчего ткань на бедрах натянулась. Шелли отвела глаза.

— Как насчет двадцати долларов? За два вечера в неделю.

— На мой взгляд, лучше сорок долларов в неделю. По двадцать долларов за вечер, максимум по три часа — с семи до десяти.

— Согласен, — проворчал он. — Жду тебя сегодня вечером.

— Завтра у меня контрольная по экономике, надо подготовиться. Так что жди меня завтра вечером.

— Хорошо, — неохотно согласился он. — Я за тобой заеду.

— Сама доберусь.

— Что ж, ты знаешь, где я живу.

— Да. Увидимся ровно в семь, мистер Чепмен.

Пройдя мимо него, она распахнула дверь и пулей выскочила в коридор, опасаясь, что еще чуть-чуть — и она поддастся порыву обнять его, умоляя о поцелуе.

* * *

— Ты точно, минута в минуту, — заметил он, открывая ей дверь вечером следующего дня.

— Я же обещала.

— Заходи.

На нем были потертые джинсы и трикотажная майка, на босых ногах — шлепанцы. Увидев Гранта в столь непарадном облачении, Шелли почувствовала, как сердце ее заколотилось сильнее, а ладони вспотели, однако она взяла себя в руки и, невозмутимо миновав его, вошла в квартиру.

На Шелли была накрахмаленная белая блузка с узким черным галстуком и черная шерстяная юбка. Собранные в хвост волосы довершали строгий и деловой облик, который она сочла нужным создать. С напускным отвращением Шелли оглядела горы бумаг, беспорядочно разбросанных на журнальном столике и полу.

— С чего мне начинать?

Грант повесил ее плащ на крючок у входа и жестом пригласил Шелли в комнату.

— Мне бы хотелось, чтобы ты просмотрела вот эти три книги — я скажу, какие главы, — и выписала случаи, когда конгресс игнорировал право президента налагать вето на законопроекты. Кроме того, отметь, оказался ли принятый законопроект в конечном счете необходимым, и перечисли доводы в подтверждение этого. Получится отличный экзаменационный вопрос. Если студент ознакомился с этим материалом, он сумеет привести несколько хороших примеров.

— А разве я не буду сдавать экзамен?

— Тебе достанутся другие вопросы.

Она кивнула, даже не вникая в суть, не в силах думать ни о чем, кроме удивительных глаз Гранта.

— Если возникнут вопросы — я здесь, — сказал он, поудобнее устраиваясь в кресле с ворохом тетрадей в руках.

Остаток вечера они провели в его кабинете. Грант держался подчеркнуто вежливо и отчужденно. Когда Шелли устроилась поудобнее на диване, он включил стереосистему, а сам пересел к загроможденному бумагами столу и погрузился в изучение книг.

Примерно через час он встал и потянулся, вскинув руки высоко над головой. Как раз в этот момент Шелли подняла взгляд и увидела полоску кожи, мелькнувшую между краем его майки и поясом джинсов. Его пупок, окруженный темными шелковистыми волосами, которые так хорошо помнили ее пальцы, явил собой запретное и удивительно волнующее зрелище, лишь на миг оказавшись в поле ее зрения. А его бедра в этих поношенных джинсах выглядели настолько привлекательно, что сердце Шелли едва не выскочило из груди.

Облизнув внезапно пересохшие губы, она усилием воли опустила глаза на страницу, которую изучала, хотя расплывающиеся буквы упорно не желали попадать в фокус.

— Колу будешь? — крикнул Грант уже из-за двери бара.

— Да, пожалуйста.

Он вернулся в комнату с двумя высокими бокалами, один из которых поставил на журнальный столик.

— Спасибо, — поблагодарила Шелли.

— На здоровье, — учтиво отозвался Грант.

Ровно в десять вечера она убрала ручку в сумочку, аккуратно сложила все материалы и книги и, поднявшись, направилась к столу Гранта.

— Уже, Шелли?

— Да, все готово, но если мои записи потребуют пояснений — я с радостью.

В неярком освещении его обнаженные руки смотрелись восхитительно; гладкие мышцы выглядели еще более рельефно благодаря игре света и тени. Ей хотелось любоваться им подобно скульптору, который восхищается творением своих рук, созданным из глины; ей хотелось дотронуться до него, приласкать его.

— Уверен, что там все ясно и четко. — Он привстал из-за стола. — Платить наличными?

Он был слишком близко, и Шелли попятилась к двери, избегая его взгляда. Она торопливо надела плащ.

— Нет. Можешь давать мне чек раз в две недели.

— Хорошо.

Его голос так манил... Шелли заставила себя обернуться и посмотреть ему в глаза.

— До свидания.

Уже взявшись за ручку двери, она невольно помедлила. Хоть бы он что-нибудь сказал, сделал, потребовал, чтобы они прекратили этот нелепый фарс! В это мгновение, когда ее тело умоляло разум смягчиться, она бы охотно сдалась на милость Гранта, отбросив последние сомнения. Почему же он не протянет к ней руку, не приласкает, не поцелует?

Лицо Гранта было непроницаемым, ничем не выдавая борьбы, происходившей в его душе. Его прощание было кратким и невыразительным:

— До свидания.

* * *

В следующий раз он доверил ей проверку экзаменационных работ, предоставив полный перечень тезисов, которые должен был содержать каждый из ответов.

— Только отмечай. А позже я проставлю оценки.

Как и в прошлый раз, в неловком молчании они принялись за работу. Ничто не нарушило этой тишины, пока не зазвонил телефон. Грант вскочил с дивана, где лежал, изучая какую-то книгу.

— Алло, — сказал он в трубку. — Нет, мисс Циммерман, по-моему, еще не проверил... Нет, вы узнаете свою оценку тогда же, когда и все остальные... М-м, я весьма признателен, но... Нет. Всего доброго. — Положив трубку, он с досадой вздохнул: — Никак не отстанет эта девица!

— Прю?

Он повернулся к Шелли, недоуменно сдвинув брови:

— Прю?

Она протянула ему работу мисс Циммерман, которую проверила несколько минут назад.

— Уменьшительное от «Прюденс». Вот здесь написано: П-Р-Ю-Д-Е-Н-С, а первые три буквы взяты в кавычки.

Откинув голову, он расхохотался.

— Ничего себе имечко![1]

— И часто она звонит? — небрежно поинтере-

[1] P r u d e n c e — благоразумие, осмотрительность (англ.). (Примеч. пер.)

совалась Шелли, аккуратно складывая прочитанные работы.

— Ревнуешь?

— Да нет, — коротко ответила она, но затуманившийся взор ее голубых глаз подсказал Гранту о тлеющем в их глубинах пламени.

— Она звонит в те дни, — улыбнулся он, — когда не забывает в классе вещей, за которыми вынуждена вернуться, и когда «случайно» не сталкивается со мной в студенческом центре.

Шелли хотела было сказать, что, на ее взгляд, студентке не следует так назойливо названивать своему преподавателю. Но кто ей дал такое право? Если уж на то пошло, они с Прю Циммерман в равном положении.

— А она весьма привлекательна, этакая пышечка, — заметила Шелли.

— В том смысле, что у нее пышный бюст?

От неожиданности у Шелли перехватило дыхание, и, стиснув зубы от досады, она процедила:

— Вижу, ты заметил.

— Бульдозер я бы тоже заметил, если бы он все время на меня наезжал, — расхохотался он.

— Бедняжка, — фыркнула Шелли. — Ты же не виноват, что сразил наповал всех студенток университета, верно?

— Кто бы говорил. Ты думаешь, я не заметил, как тот парень, что сидит рядом с тобой, смотрит на тебя телячьими глазами. Наверное, мне следует поблагодарить тебя за то, что не давала ему уснуть на лекции. — Он подошел и остановился всего в нескольких сантиметрах от Шелли. Ей пришлось приподнять голову, чтобы взглянуть ему в глаза. — Более того. Мечты о тебе и мне не дают уснуть.

Во рту у нее пересохло; отведя взгляд, она поспешно встала.

— Мне пора, — осипшим голосом произнесла она.

Как ни странно, Грант не попытался ее остановить, а лишь пристально наблюдал, как она ходит по комнате, берет свою сумочку, плащ, папку, которую принесла с собой.

— Шелли?

— Да? — Она обернулась раньше, чем ее имя слетело с его уст.

Глаза Гранта, блуждая по ее лицу, задержались на губах...

— Да так, ничего, — наконец сказал он со вздохом. — Как ты смотришь, если мы поработаем в пятницу? В четверг вечером у меня заседание кафедры.

— Хорошо.

— Тогда до встречи.

* * *

— Там дождь? — Поднявшись из глубокого кресла, Грант подошел к окну и раздвинул жалюзи. — Точно. Льет как из ведра.

— Когда я шла сюда, было жутко холодно.

Она чуть не опоздала. Днем на кафедре устроили чаепитие, и Шелли немного задержалась, чтобы помочь с уборкой. Понимая, что опаздывает, она отправилась к Гранту пешком — до его дома было ближе, чем до стоянки, где она оставила машину.

Пришла она к нему уставшая, но при полном параде: в английском костюме темно-серого цвета и серой жоржетовой блузке — переодеваться не было времени.

— У кого-то свадьба? — язвительно заметил Грант, распахнув перед ней дверь. Сам он был все в тех же джинсах, которые, похоже, служили ему домашней униформой, и майке золотисто-желтого цвета.

Некоторое время они трудились молча. Когда проверка экзаменационных работ близилась к концу, Шелли, услышав глухой стук дождя по крыше, подняла голову.

— Хочешь, разожгу камин? — предложил Грант. — Ты уже целый час сидишь, поджав под себя ноги, а я знаю, какими холодными они бывают.

Слова его вызвали мучительные воспоминания о вечере, проведенном в библиотеке, когда ладони Гранта согревали ее озябшие ступни. Взгляды их встретились, но лишь на миг; затем Шелли задумчиво посмотрела на камин.

— Не стоит беспокоиться. Осталось проверить всего несколько работ, а потом я уйду.

— Никакого беспокойства, — ответил он, опускаясь на колени перед очагом, чтобы разложить поленья и щепки, лежавшие рядом, на коврике, и подготовить камин к растопке.

Пока Грант разжигал пламя, Шелли проверила еще две работы, делая заметки на полях и сосредоточенно разбирая заковыристый почерк. Вдруг свет над головой погас и комната погрузилась во мрак, не считая тусклого свечения камина.

Она подняла голову и увидела, как Грант опускает руку от выключателя на стене. В призрачном свете он казался еще крупнее, сильнее и мужественнее. Пламя камина причудливо преломлялось на его лице, погружая в глубокую тень все впадинки. Прочесть его выражение было невозможно, но уверенная поступь, которой он двинулся к Шелли, выдавала решимость.

Шелли опустила на пол ноги, словно приготовившись бежать.

— Мне осталось проверить еще одну работу, — робко произнесла она.

— Это может подождать. А я не могу. Я и без того ждал целых десять лет.

Он остановился перед глубоким креслом, в котором весь вечер просидела Шелли. Она подняла голову и увидела отблеск пламени, танцующий в глубине его глаз. Грант медленно протянул руку, бережно взял ее за подбородок, проведя по щеке большим пальцем, удивительно теплым и нежным.

Глаза ее сами закрылись, когда он коснулся рукой ее рта; губы разомкнулись, уступая его мягкой настойчивости. Подушечкой пальца Грант сначала дотронулся до ее языка, а затем провел им по нижней губе.

Дыхание Шелли прервалось, когда ладони Гранта двинулись вниз по ее шее; кончики его пальцев коснулись нежной впадины, очертили хрупкую ключицу...

Восхитительная истома овладела ее телом, точно внушенная его колдовскими руками, и Шелли наслаждалась этим ощущением. Разве может она отвечать за происходящее, когда его прикосновения лишают ее воли и сил?

Однако, когда указательный палец Гранта очертил линию глубокого выреза ее блузки, Шелли широко распахнула веки... — и встретилась с зелеными глазами Гранта. Одного взгляда хватило, чтобы все сомнения, запреты и осторожность были забыты.

Лицо его выражало нестерпимое желание; глаза пылали страстью. Прерывистое дыхание срывалось с губ, будто шепот, отдавая дань любви женщине, которую чествовали его руки.

Сердце Шелли яростно забилось, когда рука Гранта добралась до верхней пуговицы ее блузки. Он медлил, наслаждаясь этим мгновением, пламенем камина, дождем, смятенным взглядом Шелли. Затем пальцы его осторожно освободили из петли обшитую тканью пуговку. Он положил свою руку на ее сердце, словно желая уловить каждое его трепетное биение.

Вот и вторая пуговица поддалась его умелым пальцам.

Поначалу лишь кончик его указательного пальца несмело двинулся вдоль кружевной каймы ее тонкого лифчика. За ним последовали и другие, пробираясь под тонкую ткань. Шелли робко улыбнулась, Грант улыбнулся ей в ответ, однако лицо его оставалось по-прежнему напряженным.

Он бережно обхватил ее грудь рукой. Шелли запрокинула голову, с губ ее сорвался умоляющий стон. Грант не заставил ее больше ждать.

Осторожно спустив бретельку ее лифчика — так чтобы убрать кружевную ткань, прикрывавшую грудь девушки, — он долго любовался ею. Его тихий восторженный возглас заставил Шелли вновь открыть глаза.

С несказанной нежностью он коснулся ее, дивясь на упругую округлость, казавшуюся обманчиво маленькой под одеждой, однако заполнившую всю его ладонь. Очертив набухший сосок, он осторожно сжал его пальцами, чем привел Шелли в еще большее возбуждение. Из ее горла вырвался неясный звук, что-то похожее на вздох и на всхлип одновременно, и она подалась вперед, словно отчаянно ища опору, которая бы удержала ее в этом мире и помешала улететь в пространство.

Рука ее скользнула под свитер Гранта, пробралась за пояс его джинсов. Шелли прижалась лбом к его животу и принялась медленно покачиваться из стороны в сторону, а в это время Грант продолжал дарить сладкую муку ее груди, другой рукой все крепче прижимая девушку к себе.

— Грант, Грант... — повторяла она, словно заклинание, в такт движениям его нежных пальцев. Лифчик ее оказался внизу, под грудью; освобожденная грудь вбирала ласки сильной мужской руки. Рука Гранта блуждала вроде бы без видимой цели, но ласкала Шелли так, что волны наслаждения одна за другой захлестывали ее.

— Прошу тебя... — задыхаясь, вымолвила она. Рука ее сжалась, направляя его вниз.

Наконец Грант опустился перед ней на колени, взял ее лицо в ладони и приблизил к своему.

— Шелли, я люблю тебя. — Его жаркое дыхание опалило ее губы. — Я уже не в силах остановиться.

Она покачала головой:

— Я не хочу, чтобы ты останавливался, — и порывисто прижала его голову к своей груди.

Он принялся целовать ее роскошное, ароматное тело с безудержной страстью. Когда его губы сомкнулись вокруг ее соска, она помимо воли прогнулась дугой. Рука Гранта обвила ее, отыскала желобок на ее спине и принялась поглаживать.

Утолив первый давний голод, Грант стал ласкать ее более нежно, покрывая легкими поцелуями, дразня мимолетным касанием языка. Руки Шелли упоенно зарылись в его густые темные волосы, большими пальцами она поглаживала его виски и скулы.

Грант вновь поцеловал ее в губы.

— Можно я тебя раздену? — прошептал он ей на ухо.

— Да, — выдохнула она почти беззвучно.

Он бережно снял с нее помятую блузку, расстегнул уже ненужный лифчик. Медленно встал, увлекая ее за собой, расстегнул пуговицы на ее юбке, «молнию» — и юбка вместе с бюстгальтером упали на пол. Глаза Гранта путешествовали по ее телу, а руки послушно следовали за ними.

Он взял в ладони обе ее груди — скорее с благоговением, чем со страстью, — и, поцеловав в губы, вновь опустился на колени. На Шелли оставались лишь светло-серые колготки, а под ними — кружевные трусики. Грант поцеловал ее через кружево и стал освобождать от последних предметов одежды. Желание его достигло таких высот, что он едва не разорвал тонкий трикотаж.

Однако, обуздав страсть, Грант позволил себе пока лишь любование. Шелли нежно гладила его по лицу, а он тем временем жадно исследовал ее тело, порой дотрагиваясь, целуя, пробуя на вкус. Не в силах более сдерживаться, он наконец приник губами к сокровенному треугольнику.

— Грант, — прошептала Шелли.

Он тотчас вскочил и, подняв ее на руки, легко взбежал по винтовой лестнице наверх.

Опустив ее на краешек кровати, он откинул одеяло. Пылкая страсть и нежная любовь боролись в нем. С бесстыдством, которого она в себе и не подозревала, Шелли приподнялась, облокотившись на подушку, чтобы наблюдать, как он будет избавляться от одежды.

Когда ее взору предстали его обнаженные бедра, Шелли восхищенно уставилась на его возбужденную плоть. Грант медленно двинулся к ней, не спеша, не желая напугать, и испытал немалое удивление, когда она произнесла:

— Ты красивый, Грант. Такой красивый... — Пальцы ее несмело коснулись его бедер. Затем она подалась вперед и поцеловала его, поначалу робко, затем с жаром, от которого у Гранта прервалось дыхание, помутилось в глазах и в мыслях.

— Бог мой, Шелли... — Упав на постель, он привлек ее к себе. Ее мягкий живот поглотил силу его желания, сердца забились в унисон.

Грант бережно погладил ее бедро, вызвав томное мурлыканье, и припал к устам. Рука же его бережно раздвинула ноги Шелли и легла на лобок.

Ласки его были нежны и исполнены обожания. Когда они стали более изощренными, руки Шелли обвились вокруг его шеи; трепетное дыхание коснулось его уха.

— Я не верю, что это происходит на самом деле, — со слезами радости прошептала она. — Может, это всего лишь сон? О боже, не допусти этого...

— Это не сон, моя милая, это наяву. И ты — моя любимая, драгоценная и такая чудесная женщина.

Стон сорвался с ее губ, когда он дотронулся до нее так, как прежде никто никогда не дотрагивался. Сердце, душа и разум ее рвались наружу, пока наконец не сгорели в ослепительном, жарком сиянии.

— Грант... — вскрикнула она.

— Не спеши, моя любовь, — шепнул он. — У нас все будет поровну с самого начала.

Слова ничего не значили для нее сейчас. Она лишь поняла, что испытывает невиданную радость, когда рука его скользнула под ее бедра, подготавливая к своему любовному натиску. Она приняла его целиком, обвила ногами вокруг бедер, увлекая в свои потайные глубины. Пламя его страсти опалило ее. И то, что произошло лишь однажды в ее жизни — всего несколько секунд назад, — случилось снова, но еще ярче и выразительнее, чем в первый раз, ибо сейчас Грант был внутри ее.

Они лежали обессиленные, их тела все еще были соединены в сладкой неге. Влажные шелковистые волосы Шелли разметались по груди Гранта. Он неспешно поглаживал ее спину.

— Грант, — прошептала она, с усилием нарушая эти блаженные мгновения, — ты веришь в сказки?

Он глубоко вздохнул, и она почувствовала, как он вновь пробуждается внутри ее тела.

— До сегодняшнего дня не верил.

ГЛАВА 7

Сосредоточенно разглядывая кусок яичницы на вилке, Грант задумчиво произнес:

— Ты даже не спросила.

Шелли тотчас вскинула голову и вопросительно посмотрела на него:

— О чем?

Несколько мгновений он молча жевал, затем проглотил яичницу, отхлебнул кофе и ответил:

— Ты ни разу не поинтересовалась, что было между мной и Мисси Ланкастер.

Шелли уставилась на свою пустую тарелку. Она не могла припомнить, когда еще еда была такой вкусной, а сама она — такой голодной. После того как они вместе приняли душ, Шелли закуталась в ярко-синий махровый халат Гранта, доходивший ему до колен, а ей — почти до щиколоток. Самого же Гранта она уговорила облачиться лишь в пижамные штаны.

И вот теперь, за их первым совместным завтраком, Шелли подняла на него глаза и вновь восхитилась — до чего же он красив! Волосы его все еще были влажными после душа, щеки гладкие, свежевыбритые. Завитки на торсе по-прежнему манили ее, хотя за прошедшую ночь она не раз блуждала по ним сонным взглядом, блаженно перебирая пальцами. Шелли живо помнила соленый вкус его пота, выступавшего всякий раз, когда они занимались любовью. Она слизывала капельки пота с его кожи, а Грант бормотал нежные слова и ласково поглаживал ее по волосам.

Взгляд, который она сейчас устремила на него, был теплым и затуманенным воспоминаниями.

— Мне незачем было это знать. Ничто из того, что ты сделал или мог сделать, не изменило бы моего отношения к тебе. Я считала: если ты хочешь, чтобы я узнала об этом, то сам мне расскажешь.

Он поставил кофейную чашку на блюдце и потянулся через стол к руке Шелли.

— Я не имею понятия, что собой представляла Мисси Ланкастер в постели. Я никогда — никогда, Шелли, — не был ее любовником. Она любила другого.

Шелли взвесила его слова.

— А *ты* ее любил? — Она почувствовала укол ревности. Она не хотела этого знать, но должна была выяснить.

Грант с легкой улыбкой покачал головой:

— Нет. Мы были всего лишь друзьями. Тысячу раз я жалел, что оказался таким хорошим другом. Случись иначе, она, возможно, была бы жива. — Прочтя недоумение на лице Шелли, он добавил: — Позволь мне объяснить. У Мисси была связь с одним конгрессменом. Он был молод, красив, занимал видное положение в обществе и политике... а еще у него была жена и трое маленьких детей.

Шелли хмуро сдвинула брови.

— Вот-вот, — кивнул Грант, верно истолковав ее гримасу. — Я-то считал, что он не стоит ее внимания, но Мисси голову потеряла из-за этого типа. Так или иначе... — он вздохнул, — когда я стал работать в аппарате сенатора Ланкастера и познакомился с Мисси, мы подружились. Скрепя сердце я согласился проводить ее на официальный прием, где она должна была встретиться со своим любовником. Тот же, распорядившись, чтобы его жену отвезли домой, поскольку «возникли неотложные дела», улизнул вместе с Мисси.

— И это вошло в правило, — догадалась Шелли.

— Именно так. Я оказался в роли ухажера одной из самых красивых девушек Вашингтона ради удобства ее любовника. Обычно я сопровождал ее к месту их свиданий и рано утром отвозил домой или же она брала такси. В любом случае все вокруг считали, что она встречается со мной, а вовсе не с конгрессменом, у которого такая чудесная семья.

Отвращение Гранта к этому конгрессмену было очевидным. Впрочем, как и злость на самого себя.

— Что же произошло? — тихо спросила Шелли. — Почему Мисси покончила с собой?

— Обычное дело. Мисси забеременела, а конгрессмен, когда узнал, пришел в ярость. Все это время она надеялась, что ради нее он бросит жену. Я же постоянно предостерегал ее, что она тешит себя напрасными иллюзиями, но Мисси не желала слушать... Она позвонила мне из их тайной квартиры, из их так называемого гнездышка. Когда я добрался туда, она была в отчаянии: конгрессмен предложил ей потихоньку устроить аборт, сказав, что это все, на что она может рассчитывать. Проводя ее до дома, я посоветовал лечь спать. На следующее утро она была мертва.

Шелли накрыла его ладони своими.

— Почему же ты никому не рассказал об этом,

когда тебя несправедливо обвинили и уволили с работы? Если бы ты пошел к сенатору и все рассказал, неужели бы он тебе не поверил?

— Возможно. Не знаю. Если бы я не назвал имени виновного, он мог бы подумать, что я все сочинил, чтобы защитить самого себя. А скажи я ему, кто этот человек, сенатор, вероятнее всего, призвал бы его к ответу. Я был бы только рад, если бы этот конгрессмен получил по заслугам, но мне было жаль его жену и детей. Во всей этой мерзкой истории только они и были по-настоящему невиновны. Даже Мисси была достаточно взрослой, чтобы понимать: за все приходится платить.

— Не многие смогли бы поступить так, как ты, и взять вину на себя за то, чего не совершали.

— Не вешай на меня медалей, Шелли, — рассмеялся он. — В тот момент мои действия были продиктованы скорее равнодушием, чем благородством. Я был сыт по горло двуличностью и злословием окружающих. Если мои коллеги поверили, что я способен на такое, — я не хотел больше иметь с ними ничего общего. Они с готовностью, чуть ли не с радостью поверили, будто я загубил жизнь бедной девушки. Но мне уже было безразлично, что они обо мне думают. Когда я только приехал в Вашингтон, я испытывал чуть ли не фанатичное преклонение перед теми, кто стоит у руля государства. Но очень скоро убедился, что они самые обычные люди, со всеми слабостями и недостатками, присущими человеческой натуре...

А когда уезжал оттуда, я чувствовал себя чище, выше всех этих людей. — Он устремил на нее пристальный взгляд своих серо-зеленых глаз и тихо добавил: — Но теперь я ничуть не лучше любого из них.

Он потянул ее за руку, и Шелли, обойдя вокруг маленького столика, встала напротив Гранта. Он сжал ее ладони в своих.

— Если бы ты была сейчас замужем, сомневаюсь, что для меня это что-либо изменило. Вновь встретив тебя после десяти лет разлуки, я бы никакому мужу не позволил встать на пути моего желания. Я пошел бы на все, лишь бы сделать явью то, что произошло между нами прошлой ночью.

Шелли коснулась седых прядей на его висках. Голос ее срывался от волнения:

— Особенных усилий тебе бы не пришлось прилагать. Слава богу, мне не надо было выбирать между тобой и мужем. Хотя я не уверена, что какие-то моральные соображения повлияли бы на мое решение.

— Шелли, твой муж не ценил тебя как женщину. Я знаю, я понял это по твоим изумленным откликам сегодня ночью.

Его мужское тщеславие вызвало у нее нежную улыбку.

— Если ты имеешь в виду, что он недостаточно меня любил, — ты прав. Он никогда не ласкал мою грудь губами и языком. Порой целовал, но не так, как мне хотелось и как это делаешь ты. — Шелли не ведала, откуда взялась эта неожиданная смелость, но она совсем не смущалась, произнося такие вещи. — Он не щекотал языком под моими коленями, не разговаривал со мной, когда мы занимались любовью. Он не мог довести меня до экстаза и так и не простил мне этого. А ты сумел. Столько раз за эту ночь...

Грант взял ее руку, поднес к губам и пылко поцеловал.

— Спасибо, что сказала мне, Шелли. Боже, как я мечтал, чтобы все было именно так. Я понял это по твоей реакции, твоему изумлению. Я так *надеялся* на это. Вот такой я самонадеянный эгоист. Раз не я лишил тебя девственности, мне хотелось подарить тебе хотя бы это.

Она любовно провела пальцем по четким линиям его рта.

— Мое расставание с девственностью ничего для меня не значило. Было только очень больно — и проделано все без любви и нежности. А сегодня ночью... — Взгляд ее скользнул вдоль стен крохотной кухоньки, словно в поисках какой-нибудь подсказки, начертанной где-нибудь крупными буквами. — Это было как... рождение... Я стала женщиной.

Глаза его заблестели от наплыва чувств.

— Я люблю тебя.

— Я люблю тебя, — тихо повторила она его слова. А затем повторяла их еще и еще раз, словно потому, что десять лет не могла позволить себе произнести это вслух.

Грант обнял ее и зарылся лицом в ее груди.

Шелли обхватила ладонями его голову, прижала к себе. Долго они стояли так под впечатлением только что высказанных вслух признаний.

Когда Грант поднял голову, в его глазах она прочла откровенное приглашение.

— Все эти разговоры о целовании коленок и прочего привели меня... о-о... — Он проворно развязал пояс халата, обвитый вокруг талии Шелли. Полы его распахнулись, являя взору Гранта ее неприкрытую наготу.

Лаская ее бедра руками, он вновь склонил голову и поцеловал ее в живот. Язык его нырнул в маленькую впадинку пупка.

— Ты не против? — прошептал Грант.

Если бы Шелли и без того не трепетала от желания, губы Гранта, горячие, влажные и настойчивые, несомненно, убедили бы ее. Ладони его коснулись ее ягодиц.

— Признаюсь, — вымолвила она, — я подумала об этом раньше тебя.

— Как же, как же...

— Пойдем наверх.

— Давай останемся здесь.

Прежде чем Шелли успела сообразить, что происходит, Грант подхватил ее на руки и усадил лицом к себе на колени.

— Грант, — выдохнула она, широко распахнув глаза. — Я никогда еще...

Он озорно подмигнул, довольный собой, и развязал узел на поясе пижамных брюк.

— Ты всегда была... ах, Шелли... способной

студенткой... то есть ученицей... — с трудом прошептал он, когда она, проявив готовность к нов-
шеству, заключила Гранта в свое влажное теплое
лоно.

— Ты... хороший... учитель.

* * *

Уже целый час Шелли пыталась сосредоточиться на том, что читала, но тщетно: взор ее то и
дело устремлялся к мужчине, который сидел в
другом конце комнаты, уставившись в книгу.

Она так сильно его любила, что не в силах была сдерживать эту любовь. Чувственность Гранта
и ее собственный отклик просто ошеломили ее.
Дэрил, хорошо знакомый с механизмом человеческой сексуальности, не имел понятия о ласках и
технике любви. Он бы не узнал в этой женщине,
которая безоглядно участвовала в изощренных
любовных играх с Грантом, свою бывшую жену,
некогда безучастно лежавшую под ним. Дэрил
был бы раздавлен, если б только узнал, какой он
никудышный любовник. При этой мысли она испытала какое-то извращенное удовольствие.

— Да ты не читаешь. — Негромкий голос
Гранта вывел Шелли из задумчивости, и, вскинув
на него глаза, она скорчила смешную гримасу.

— Я учу.

— А-а, — протянул он с явным недоверием.

— И буду очень признательна, если впредь ты
не станешь мне мешать, — строго заметила она.

Улыбнувшись, он вернулся к своему чтению.

Погода, по-прежнему холодная и дождливая, не располагала к прогулкам. Вымыв посуду и убрав после завтрака, они вернулись в постель. Недолгий сон взбодрил их, но они решили понежиться до вечера, ревностно лелея драгоценное время, дарованное им, и не желая тратить его на что-то еще.

Шелли неохотно сообщила, что ей надо готовиться к экзамену по финансам. Самому же Гранту необходимо было составить план лекций на следующую неделю. Они договорились расстаться на два часа и посвятить это время занятиям. Сцена их прощания могла быть с успехом использована в каком-нибудь душещипательном фильме.

— Давай сядем вместе на диване. — Он нежно поцеловал ее в ухо, языком очертив его контур.

— Нет, так мы никогда ничего не выучим.

— Обещаю не дотрагиваться до тебя.

— А я не могу обещать. — Она просунула руки под его рубашку.

— Но ведь я буду сидеть во-он там, — пожаловался Грант. — Я буду скучать по тебе.

— Не выйдет, — улыбнулась Шелли, расстегивая его рубашку и покрывая поцелуями грудь.

— Боишься, что я буду тебя отвлекать? Например, вот так? — Он быстро нагнулся и провел языком по ее соску.

На ней была его старая рубашка — Грант убедил, что ей незачем снова облачаться в ее строгий костюм. Вместе с рубашкой, длинные рукава которой Шелли закатала до локтей, она надела его старые спортивные носки, заканчивавшиеся у ее колен. Подол рубашки доходил ей до середины бедер — такой ансамбль не делал ее целомудренной.

— Или, например, вот так? — Пальцы его двинулись вниз по ее животу, порхнули под рубашку и отыскали темный треугольник у верхней части бедер.

— Ох, Грант, — простонала она и, сделав над собой волевое усилие, шутя оттолкнула его. — Уходи!

— Зануда, — проворчал он, но все же отправился в другой конец комнаты и сел в кресло.

Спустя час с лишним она знала о финансах не больше, чем прежде. Даже с такого расстояния Грант продолжал отвлекать ее внимание. Шелли не в силах была думать ни о чем, кроме его нежности. Она вспоминала, как его губы и руки искусно подводили ее к вершине чувственного наслаждения, о котором она даже не подозревала.

А ведь могла бы догадаться, что у них будет именно так. Разве тот поцелуй десять лет назад, тот запретный поцелуй, упорно не стиравшийся из ее памяти, не сказал ей о том, что ни один мужчина никогда не сможет любить ее так, как Грант?

Она с нежностью вспоминала прошлое, но о будущем она боялась даже помыслить. Что с ними теперь будет? Она хотела Гранта, он был ей необходим. Но ведь однажды она уже поклялась, что никогда больше не посвятит свою жизнь мужчине. Шелли презирала ту жалкую особу, в которую превратилась, пока была замужем за Дэрилом. Она потеряла тогда саму себя, превратилась в блеклую тень, лишенную энергии, силы духа, цели... Нет, больше такое не повторится.

Грант сказал, что любит ее. Но надолго ли это? Возможно, она всего лишь тонизирующее средство, которое он принимает, чтобы восстановиться после неприятностей в Вашингтоне? Что станет с ними, когда он исцелится от своих душевных ран?

— Ну вот, теперь ты смотришь в пустоту и хмуришься, — отвлек ее Грант от мучительных раздумий.

Она смущенно моргнула, и на лицо ее быстро набежала радостная улыбка. Если у них и нет будущего, она не собирается мучиться из-за этого в настоящем и не намерена тратить отпущенное им судьбой время на бесплодные размышления о том, что их ждет.

— Извини, — сказала она, захлопнув книгу. — Я как раз думаю, что завалю этот экзамен, и виноват будешь только ты.

Давно и нетерпеливо ожидая от нее хоть малейшего намека на приглашение, он вскочил с кресла и, подойдя к Шелли, прилег рядом с ней на диване.

— Придется тебе смириться с четверкой. — Он скрепил это заявление обжигающим поцелуем.

— А ты составил план своих лекций? — ухитрилась она спросить, когда Грант наконец дал ей такую возможность.

Не ответив, он принялся целовать ее шею. Шелли в истоме запрокинула голову.

— Я тут поразмыслил... Возможно, мне имеет смысл переключиться на преподавание анатомии и физиологии. У нас будет уйма времени для практических занятий. Будешь получать только пятерки.

— Серьезно? — улыбнулась она.

Грант тем временем расстегнул пуговицы ее рубашки и любовно поглаживал ее груди. Взяв одну грудь в ладонь, он слегка приподнял ее и сомкнул губы вокруг темно-вишневого кружочка.

— Угу, — отозвался он, не отрывая губ.

Руки ее, скользнув вниз по его спине, остановились на обтянутых джинсами бедрах. Поощряемый ею, Грант пристроился меж ее ног. Шелли попыталась открыть застежку его джинсов.

— Грант?..

— Что, любовь моя?..

И тут же оба оцепенели — громко задребезжал дверной звонок.

Грант прижался лбом к ее щеке и тяжело вздохнул. В дверь позвонили снова. Грант виновато взглянул на Шелли.

— Не шевелись, — скомандовал он, вскочил с дивана и, на ходу застегивая джинсы, направился к двери. Приоткрыв ее всего на несколько сантиметров, нелюбезно спросил:

— Что такое?

Послышалось похотливое хихиканье, и в комнату вплыла Прю Циммерман.

— Вот как вы встречаете... друзей?

Девица повернулась к ошарашенному Гранту, не заметив Шелли, которая забилась в угол дивана, подтянув под себя ноги. Рубашку она торопливо застегнула, хотя ткань на бедрах помялась более чем красноречиво.

Грант застегнуть рубашку не успел, и Прю, нахально проведя пальцами по ее пустым петелькам, заявила:

— Я пришла попросить у вас какую-нибудь дополнительную литературу. Дело в том, что я сдала экзамен хуже, чем рассчитывала.

От наглости этой девицы Шелли потеряла дар речи. Свитер мисс Циммерман был слишком тесным; под ним свободно покоился внушительный бюст, сквозь его ткань отчетливо проглядывали соски. Она плавно подошла поближе к Гранту и склонила голову на манер, который, безусловно, считала неотразимым. Когда ее ладонь скользнула под его распахнутую рубашку, ревность обуяла Шелли и она гневно вскрикнула.

На мгновение раньше пальцы Гранта мертвой хваткой сомкнулись на запястье девицы, и он резко отстранил ее руку.

Прю обернулась к Шелли и, встретившись с ее горящим взглядом, мгновенно заметила ее облегченный наряд. Капризные губки мисс Циммерман изогнулись в злобной ухмылке, глаза сузились.

— Мисс Циммерман, прошу вас впредь сюда не приходить и не звонить. Все возникающие вопросы будьте любезны решать на занятиях. — Грант едва сдерживался. Шелли была уверена: дай он себе волю — вцепился бы юной даме в глотку.

— Ми-истер Чепмен, не говорите чепухи. Вы же знаете, зачем я пришла.

— В таком случае я нахожу ваше поведение не только бестактным, но и оскорбительным. Нет нужды напоминать, что вы моя студентка, и не более того.

— Она тоже! — взвизгнула Прю, тыкая пальцем в Шелли, которая чуть не бросилась на девицу, чтобы выцарапать ей глаза. Да что там — она бы с радостью задушила ее за то, *как* она прикасалась к Гранту. — Она-то что здесь делает раздетая, уютно устроившись на вашем диване?

— А это не ваше собачье дело, — раздраженно огрызнулся Грант и, крепко ухватив девицу за плечо, подтолкнул к выходу. Одной рукой он придержал дверь, а другой выпихнул Прю на улицу.

— Ну что ж, я позабочусь, чтобы ректор Мартин узнал, что вы спите со своими студентками, — угрожающе процедила та, прежде чем Грант захлопнул перед ее носом дверь и решительно щелкнул замком.

— Ты ей веришь? — воскликнул Грант, взъерошивая и без того растрепанные волосы. — Я... Шелли?

Обернувшись, он увидел ее побледневшее и напряженное лицо. Всего несколько секунд назад она кипела от злости, теперь же испытывала настоящий ужас.

— Что с тобой? — встревожился Грант.

Она с трудом сглотнула.

— Ничего, Грант. Отвези меня домой. — Она начала подниматься, но его крепкие руки удержали ее.

— Посмотри на меня, — велел он, когда она попыталась отстраниться. — Почему? Почему ты хочешь, чтобы я отвез тебя домой? Почему, черт возьми?!

— Потому что... потому что... она права, Грант. Мне здесь не место. Люди подумают...

— Плевать мне, что они подумают! — рявкнул он.

— А мне не плевать!

— Шелли... — Он так сжал ее плечи, что Шелли поморщилась. — Я постиг одну простую истину: каким бы осмотрительным ты ни был, кто-нибудь всегда найдет повод указать на тебя пальцем. Люди обожают осуждать других, потому что это придает им уверенности в себе. Стараясь угодить всем, ничего не добьешься. Это невозможно и бессмысленно. На каждый чих не наздравствуешься. Достаточно быть довольным самим собой.

— Нет, Грант. Я давным-давно усвоила, что есть правила, которые мы обязаны соблюдать, нравятся они нам или нет. А мы с тобой нарушаем эти правила. Двадцать семь лет своей жизни я их соблюдала. И теперь не в силах измениться. — Призвав на помощь все свое самообладание, она взглянула ему в глаза и произнесла: — Если ты не отвезешь меня на стоянку, чтобы я смогла забрать машину, мне придется идти пешком.

Он выругался.

— Ладно. Иди наверх, переоденься.

Через несколько минут они уже выходили из дома. Грант запер дверь. Не обращая внимания на дождь, помог Шелли сесть в «Датсун» и задним ходом вырулил с аллеи.

— Моя машина на стоянке за Хейвуд-холлом, — сориентировала его она, когда автомобиль устремился в противоположную сторону.

— Я голоден. И вообще собирался угостить тебя ужином.

— Зачем? В качестве платы за услуги?

Грант резко дернул головой, и Шелли съежилась под его мечущим громы и молнии взглядом.

— Думай как хочешь.

Уж лучше бы он ее ударил. По крайней мере, тогда бы болела только щека. Слезы застилали глаза в унисон с дождем, заливавшим ветровое стекло. Шелли отвернулась, чтобы он не увидел, как подействовала на нее их словесная перепалка, и гордо расправила плечи.

Грант отвез ее в пригородный ресторанчик, славящийся своими мясными блюдами. Его незатейливый внешний вид отлично гармонировал с дождливым пейзажем.

— Надеюсь, ты любишь бифштексы.

— Иди к черту, — отозвалась она и, толкнув дверцу, побежала ко входу в ресторан.

Если Грант непременно хочет соблюсти приличия и накормить ее ужином — отлично, лишь бы поскорее покончить с этим, а потом она вернется домой и будет зализывать раны.

В два прыжка он очутился рядом с ней под навесом у порога и рывком распахнул дверь; при виде его грозного лица у Шелли мурашки поползли по спине.

— Заходи, — скомандовал он. Одарив его неласковым взглядом, Шелли повиновалась.

Официантка подвела их к столику у камина.

— Принести вам что-нибудь из бара? — поинтересовалась она.

— Нет. Да, — ответили они одновременно.

— Мне ничего, — категорически отрезала Шелли.

— Пиво, пожалуйста, — попросил Грант.

Шелли сосредоточенно изучала меню, пока официантка не вернулась с пивом для Гранта, чтобы принять у них заказ.

— Шелли? — вежливо поинтересовался он.

— Мне только салат. С прованским маслом.

— Бифштекс она тоже будет. Средне прожаренный. С гарниром из жареной картошки с приправой. А мне ростбиф с кровью, на гарнир тоже картофель. С подливой. — Захлопнув меню, Грант вернул его смущенной официантке и с вызовом посмотрел на Шелли.

Та лишь пожала плечами. Во время ужина она хранила молчание — на вопросы Гранта вежливо отвечала, однако сама разговоров не затевала.

Едва они вновь сели в машину, Грант завел

мотор и выехал на скользкое от дождя шоссе. Его нарастающая злоба только разжигала ее собственную. Пылкий и чуткий любовник минувшей ночи исчез без следа, на смену ему явился злой и ожесточенный человек, которого она не знала.

Не доезжая нескольких кварталов до студенческого городка, он свернул на ее улицу.

— Моя машина...

— Знаю. Возле Хейвуд-холла. Не хочу, чтобы ты ездила в такую погоду, тем более на машине...

— Я сама могу о себе позаботиться!

— Не сомневаюсь! — рявкнул он в ответ. — Будь любезна, доставь мне такое удовольствие, ладно?

Возле ее дома он резко затормозил и, прежде чем Шелли успела открыть дверцу, поймал ее за руку, коротко и властно бросив:

— Сиди.

Шелли повиновалась. Грант обошел вокруг машины и распахнул перед ней дверцу.

— Спасибо за все, — тихо сказала она, после чего вставила ключ в замок и повернула.

— Не спеши, — заявил Грант, просунув ногу в проем закрывающейся двери, и шагнул в дом. — Я не намерен пускать тебя одну в пустой дом, где ты не ночевала, как бы хорошо ты о себе ни заботилась. — С этими словами он захлопнул за собой дверь и зажег свет.

Грант тщательно осмотрел ее небольшой домик, пока сама Шелли стояла у входа, с каждой минутой раздражаясь все больше. Когда он вернулся в комнату, явно не спеша уходить, более того, успев снять куртку и перебросить ее через плечо, — она процедила:

— Спокойной ночи.

Небрежно отшвырнув куртку в кресло, Грант лукаво улыбнулся:

— Спокойной ночи обычно желают в спальне, Шелли. — Она так и замерла в немом изумлении, а Грант тем временем подошел и привлек ее к себе, одной рукой обхватив за талию. Другой же рукой он зарылся в ее волосы и наклонился. — И обычно эти пожелания сопровождаются поцелуем.

— Нет... — только и успела вымолвить она, но он уже впился в ее губы. То был грубый, безжалостный поцелуй. Шелли пыталась бороться, вырваться, но тщетно: Грант легко подхватил ее на руки, отнес в спальню и бросил на постель с такой силой, что у нее прервалось дыхание. Сам же тотчас набросился на нее.

— Отпусти меня! — Слезы гнева и отчаяния брызнули из ее глаз; она безуспешно молотила кулачками по его груди.

— Ни в коем случае. — Одной рукой он сжал оба ее запястья, другой между тем разобрался с пуговицами блузки и, уже во второй раз за двадцать четыре часа, освободил ее грудь от кружевного лифчика. — Скажи, что тебе это не нравится. Не хочешь? И не нужно. — Свободной рукой он стал ласкать ее. Его прикосновения были нежными, резко контрастируя с железной хваткой, сковавшей ее запястья.

— Нет, пожалуйста, не надо, — простонала она, ощутив вдруг отклик своего неподвластного разуму тела. Голова ее металась по подушке, но битва была проиграна, и Шелли это понимала. Сопротивлялась она отважно, но неубедительно. Ее стоны протеста переросли в жалобное хныканье, когда язык Гранта неторопливо исследовал ее грудь, кружа над сосками, словно бабочка.

При первых же признаках ее капитуляции он освободил ее руки, и Шелли опустила пальцы в его волосах; теперь Шелли отчаянно боялась, что он вдруг может уйти неожиданно.

— Шелли, Шелли... — выдохнул Грант и принялся стягивать с нее колготки, проклиная их и свою неуклюжесть. Чтобы не пугать ее силой своего желания, он пытался сдерживаться, но ее руки, судорожно вцепившиеся в его плечи, отчаянно молили о ласке и любви. Он поцеловал ее в губы, а его нежные пальцы между тем подтвердили то, что он и без того подозревал: Шелли была готова принять его, влажная и податливая.

Торопливо освободившись от одежды, Грант помедлил несколько мгновений у алькова ее женственности. Взял в ладони ее лицо и пытливо заглянул в глаза.

— Думаешь, я бы позволил этой глупой девке встать между нами? После десяти лет, мучительных для нас обоих, по-твоему, я бы позволил кому-то или чему-то вновь лишить нас этого счастья?

Она покачала головой, слезы любви струились по ее щекам и его ладоням.

— Я же говорил, что никогда не смогу тебя отпустить, — продолжал Грант. — Но я уйду, если ты об этом попросишь. Прямо сейчас. Только тебе придется самой попросить меня об этом.

Обняв Гранта за шею, она притянула его к себе.

— Нет, Грант. Не уходи.

— А насчет ужина... Я вовсе не то имел в виду, когда говорил...

— Я тоже. Я сказала глупость.

— А я был груб. Если я тебя обидел...

— Нет, нет, — перебила его Шелли. — Но только люби меня сейчас.

Он проник в нее, такой сильный и родной, заполняя пустоту ее истосковавшейся души, которую только он мог излечить. Они достигли экстаза быстро и одновременно. Когда, немного успокоившись, он смог заговорить, его первыми словами были:

— Больше нас ничто не разлучит.

И она поверила ему.

* * *

Шелли проснулась. Слыша у своего уха ровное дыхание Гранта, она поняла, что тот крепко спит. Осторожно поднявшись, укрыла его одеялом, защищая от утренней прохлады, и направилась к платяному шкафу.

Закутавшись в теплый халат, она тихонько спустилась на кухню, намереваясь сварить кофе и отнести Гранту, когда тот проснется. Улыбаясь своим воспоминаниям и предвкушая новые ласки и любовные игры, Шелли не сразу сообразила, что в парадную дверь стучат. Недоумевая, кто бы это мог быть в столь ранний час, она пошла открывать.

Глянув в маленькое боковое окошко, Шелли почувствовала, как к горлу подкатывает тошнота.

— Дэрил, — прошептала она в ужасе.

ГЛАВА 8

Он постучал снова, на сей раз более решительно. Только чтобы положить конец его настойчивому стуку, Шелли распахнула дверь.

Несколько долгих мгновений они смотрели друг на друга через порог. Шелли была приятно удивлена своим полнейшим безразличием к бывшему мужу. Одно время, после развода, при виде Дэрила ее сердце так и подскакивало в груди, она смущалась, начинала нервничать. Да уж, когда-то он умел заставить ее почувствовать себя полным ничтожеством. Но теперь уже нет.

В подтверждение своей вновь обретенной уверенности, Шелли выдержала паузу и вынудила Дэрила заговорить первым.

— Здравствуй, Шелли. — Он был по-прежнему

красив и молод, с мальчишескими ямочками на щеках. — Я тебя разбудил?

— Да, — солгала она, проникаясь чувством превосходства при мысли, что стоит в одном халате и не испытывает ни малейшего трепета перед Дэрилом, который не в состоянии пробудить волнения в ее теле — и никогда не мог. Ох, как же ей хотелось выпалить ему это в лицо, рассказать о его несостоятельности, опозорить и унизить так, как унизил ее он, невозмутимо сообщив, что не желает больше видеть ее в своей жизни.

— Можно войти?

Она пожала плечами и посторонилась. Дэрил стремительно прошел мимо нее, и тут вдруг Шелли поняла, что он в ярости. Редко он расстраивался настолько, что это становилось заметно.

Окинув беглым взглядом гостиную, он обернулся и, подбоченясь — еще один признак его гнева, — велел ей:

— Садись.

— Постою, — ответила Шелли и скрестила руки на груди.

Она совершенно не представляла, что привело его сюда в столь ранний час, да еще в воскресенье, но не собиралась подчиняться его приказам, как всегда делала раньше. Единственное чувство, которое он в ней сейчас пробудил, — это любопытство. Но она не доставит ему удовольствия и не станет спрашивать, что ему нужно. Шелли холодно посмотрела на него.

Его подбородок напрягся, он заскрежетал зубами — от этой привычки он несколько лет безуспешно пытался избавиться. Руки его непроизвольно сжались в кулаки.

— Я желаю знать, черт возьми, чем ты тут занимаешься?

Поморгав с невинным видом, Шелли хмыкнула:

— Вообще-то я собиралась варить кофе.

— Не строй из себя дурочку. Ты прекрасно понимаешь, о чем я. Насчет этого типчика, Чепмена. Ты с ним встречаешься?

Шелли даже удивилась, как ему удается произносить слова, не шевеля губами.

— Ну да, — просто ответила она, — два раза в неделю посещаю лекции по политическим наукам.

— Не только! — прорычал Дэрил, давая волю своему гневу. — Один мой знакомый видел вас вместе на футбольном матче, а позднее — на приеме у ректора. По вечерам ты бываешь у Чепмена дома. Так чем же ты занимаешься?

— Тебя это не касается, — спокойно заявила Шелли, откинув назад голову с дерзостью, от которой Дэрил вмиг остолбенел — прежде ему такого видеть не доводилось. Огонь, полыхавший в ее голубых глазах, тоже был ему незнаком.

Когда он наконец пришел в себя, то прошипел:

— Черта с два не касается. Ты моя...

— *Бывшая* жена, доктор Робинс. Причем, если помните, бывшей стала именно по вашей инициативе. Не знаю, что вас сюда привело, и знать не хочу, но тем не менее вынуждена попросить вас удалиться.

Дэрил и ухом не повел.

— Этот тип всегда был предметом твоих вожделений, верно? — Он ухмыльнулся. — Ты, наверное, даже не представляла, как часто произносила его имя. Бог мой, кто через семь, восемь лет после окончания школы вспоминает бывших учителей? Но ты не забыла. «Мистер Чепмен то», «Мистер Чепмен се». Я-то думал, тебя пленила его вашингтонская карьера, но теперь разобрался, что к чему. Я надеялся, что при его сомнительной репутации твоя девичья влюбленность улетучится. Или же гнусность, которую он сотворил с той девицей в Вашингтоне, сделала его в твоих глазах еще более неотразимым?

Шелли не собиралась защищать Гранта перед этим клоуном. Повернувшись к нему спиной, она подошла к двери и распахнула ее.

— Впредь не трудись меня навещать, Дэрил. Прощай.

Метнувшись через комнату, он закрыл дверь, схватил Шелли за плечи и грубо встряхнул.

— Ты с ним спишь?

— Да, — торжествующе глядя на него, заявила она. — И наслаждаюсь каждой минутой.

— Сучка! — взвизгнул Дэрил, и Шелли поняла, что смертельно оскорбила его, уязвила его самолюбие. Этого он вынести не мог. — Да ты соображаешь, каким посмешищем себя выставляешь? А? — И снова встряхнул ее, но Шелли не дрогнула.

— Посмешищем я выставляю тебя, Дэрил, и именно это тебя так огорчило. Что же сделал твой знакомый? Вернулся в город и рассказал всем, что твоя бледная робкая жена больше не бледная и не робкая? И что ты ей больше не нужен? Что с каждым часом своей жизни без тебя она становится счастливее, чем за все пять лет, проведенные с тобой? Если так, он прав.

— Заткнись! — крикнул Дэрил. — Плевать мне, что ты творишь со своей жизнью, но не позволю портить мою. Я сделал себе имя. Собираюсь жениться на дочери главврача. Представляешь, что значит подобная партия для моей карьеры? Но если твоя пошлая интрижка с этим профессором выплывет наружу, все мои планы на будущее вылетят в трубу. Так что ты немедленно прекратишь эти нелепые отношения. По крайней мере до тех пор, пока я не женюсь.

Она рассмеялась ему в лицо, чем привела в еще большую ярость.

— *Твое* имя, *твоя* женитьба, *твоя* карьера. По-твоему, меня это волнует?

— Тебя это никогда не волновало!

— Как же, очень волновало! Достаточно волновало, чтобы работать в поте лица и содержать нас, пока ты заканчивал колледж. Достаточно, чтобы штудировать для тебя книги и печатать твои нудные, бесконечные доклады. Но когда ты закончил третьим в списке лучших, разве ты поблагодарил меня, наградил отпуском? Нет, ты отправился на три дня в Мехико в компании двух однокурсников.

— Я заслужил отдых.

— Я тоже!

— Значит, нынешний спектакль с профессором ты затеяла, чтобы расквитаться со мной за все несправедливости, в которых я перед тобой якобы виноват?

Шелли недоверчиво покачала головой.

— Твой эгоизм не перестает меня изумлять, — со смехом сказала она. — Я бы не стала тратить на тебя свои драгоценные силы. Дэрил Робинс, мне совершенно безразлично, станешь ли ты самым известным врачом в мире или сгоришь в аду. Ты удалил меня из своей жизни и лучшего подарка мне сделать не мог.

— А уж я-то как был рад! Подумать только, я принес в жертву свою свободу, чтобы жениться на такой льдине, как ты. Поганую шутку ты со мной сыграла, детка. Завела меня до такой степени, что я сдуру на тебе женился и тут же выяснил, что ты сделана из камня. Готов поспорить, твой профессор пережил немалый шок, верно? Или же ты заранее предупредила его, что заниматься с тобой любовью столь же увлекательно, как совокупляться с трупом?

Шелли побледнела, но не успела она найти достойный отпор, как Дэрил был отброшен от нее и прижат к стене. Рука Гранта буквально прибила шею Дэрила подобно металлическому обручу.

Обнаженный по пояс, успевший только натянуть джинсы, Грант выглядел весьма угрожающе. Взъерошенные волосы и небритый подбородок придавали ему еще больше решительности. Глаза его буравили лицо Дэрила с первобытной жаждой крови.

— Если ты еще хоть раз заговоришь с ней в подобном тоне, я безнадежно испорчу твою чудесную улыбочку, в которую ты вложил столько денег, — прорычал он.

Дэрил нервно сглотнул, но все же старался не отступать:

— Значит, добавите физическое насилие и побои ко всем своим прочим преступлениям.

Грант расхохотался, но в его гневном взоре не было и тени веселья.

— Обо мне говори что хочешь. Можешь меня оскорблять, если тебе от этого станет легче. Уж поверь, Робинс, на меня наскакивали птицы покрупнее и достойнее тебя. Меня ты не заденешь. Но я охотно вышибу из тебя дух, если ты только посмеешь обидеть или оскорбить Шелли.

— То, что я сказал, правда, — пискнул Дэрил.

— То, что ты сказал, чушь! Я не стану посвящать тебя в подробности наших интимных отношений, но, уверяю тебя, это самые яркие впечатления моей жизни. И когда ты будешь лежать на холодном и скучном ложе своего выгодного брака, подумай-ка лучше о том, что ты потерял — попросту отбросил из-за своего непомерно раздутого самомнения.

Теплая волна охватила Шелли.— это не было смущение, вызванное словами Гранта, это была благодарность и любовь. Она даже не заметила взгляда, который Дэрил бросил в ее сторону. Он посмотрел на нее с неожиданным интересом, она же не сводила глаз с Гранта.

— Значит, вы намерены продолжать свою пошлую интрижку? — угрюмо заметил Дэрил.

— Нет, — ответил Грант.

Шелли похолодела, глаза ее округлились от страха. Не выпуская Дэрила, Грант повернулся к ней:

— Никаких интрижек. Мы поженимся.

От изумления Шелли открыла рот, но не издала ни звука. Дэрил онемел. Грант вновь повернулся к нему.

— И я умнее тебя, Робинс. Я буду любить ее так, как тебе не хватило мозгов. Я уважаю и ценю ее ум и честолюбие. Ее карьера будет не менее важна, чем моя. Наш брак будет союзом равноправных. Я помогу ей забыть годы, проведенные в роли твоей половой тряпки.

Грозно взглянув напоследок на Дэрила, Грант выпустил его.

— Убирайся отсюда. Испоганил нам утро.

Дэрил быстро пришел в себя и, одернув пальто, бросил надменный, презрительный взгляд на Шелли.

— Поздравляю. — После чего совершил ошибку, повернувшись спиной к Гранту.

— Эй, Робинс! — вкрадчиво окликнул его Грант.

— Да? — отозвался доктор, оборачиваясь к нему с воинственным видом.

— А это тебе за все те случаи, когда ты огорчал ее, а меня не было рядом, чтобы разобраться. — С размаху Грант всадил кулак под дых Дэрилу, звук при этом получился просто тошнотворный.

Прижав руки к животу, надменный доктор согнулся пополам. Грант схватил его за воротник пальто, встряхнул и потащил к выходу. Выпихнув на крыльцо, Грант брезгливо отпустил его, словно дохлую крысу. Захлопнув и закрыв дверь на ключ, он повернулся к Шелли. Выражение его лица смягчилось, и, раскинув руки, он подошел к ней. В следующий миг она уже была в его объятиях.

Грант с нежностью посмотрел ей в глаза.

— Пусть не было свечей и вина и я не стоял на коленях, но тем не менее это предложение руки и сердца. Выходи за меня, Шелли, — прошептал он, прижимая ее голову к своему плечу.

Шелли крепко обняла его. Она закрыла глаза, пытаясь отогнать ухмыляющуюся физиономию Дэрила, стереть из памяти его оскорбительные слова, и дрожащим голосом ответила:

— Не знаю, Грант. Просто не знаю...

Он уловил ее нерешительность, понял ее нежелание вновь связывать себя обязательствами и негромко предложил:

— Поедем прогуляемся по лесу. В этой комнате все еще воняет Робинсом. А на свежем воздухе, если повезет, ты поймешь, что ничто не мешает тебе стать моей женой.

* * *

— Что-то ты все молчишь, — заметил Грант.

Порыв осеннего ветра бросил ей на щеку золотисто-коричневый лист. Грант убрал его и ласково погладил копну ее пушистых волос.

— Думаю.

Выбравшись за пределы городка, они ехали в молчаливой задумчивости, пока Грант не остановил машину на обочине узкой дороги, окаймленной деревьями, и предложил:

— Пойдем прогуляемся.

Достав из багажника старое одеяло, он помог Шелли перебраться через неглубокую канаву, и они ступили в лес, во всем его осенне-золотистом великолепии.

Опавшая листва, обильно устлавшая землю, шуршала у них под ногами. Даже когда они в молчаливом согласии расстелили одеяло под раскидистым дубом, Грант не пытался разговорить Шелли, он понимал, что сейчас ей необходимо помолчать и собраться с мыслями.

Она прилегла, склонив голову к нему на колени, и, глядя на серое небо сквозь крону дерева, думала совсем не о событиях минувшего утра, а просто наслаждалась дружественным молчанием, ощущением его крепких мышц под своей головой, его свежим дыханием на своем лице.

— О чем-то хорошем задумалась? — спросил он, склоняясь к ней.

— В основном.

— Не хочешь рассказать?

— Я думаю о том, что рядом с тобой испытываю такое счастье, какого не ведала всю свою жизнь. — Она запрокинула голову назад, чтобы лучше его видеть. — Понимаешь, о чем я?

— Да.

— Хочу все время быть с тобой.

— Что-то я не пойму, в чем проблема, — улыбнулся Грант, уловив боль в ее голосе. — Шелли, я ведь попросил тебя стать моей женой.

— Знаю, знаю. — Она села и уткнулась лбом в его согнутые колени. — Но не уверена, стоит ли нам жениться.

— Ага, ясно, — спокойно отозвался Грант. — Но почему? Мы можем это обсудить? Это как-то связано с тем скандалом в Вашингтоне?

— Нет-нет. — Она поспешно покачала головой. — Я же говорила тебе, что для меня это никогда не имело никакого значения.

Ладонь Гранта нырнула к ней под свитер, неторопливо двинулась вверх по спине к шее, затем опять вниз, к талии. И снова вверх, нежно-нежно...

— Боишься вновь оказаться в услужении?

Ее замешательство ответило ему лучше любых слов.

Он убрал руку с ее шеи.

— Я ведь уже говорил тебе, что мы будем равноправными партнерами. Неужели ты думаешь, что я жду от тебя покорности и смирения, Шелли? Мне нужна жена, возлюбленная, а не служанка с проживанием. Ты уже нашла свое место в жизни и собираешься добиться еще большего.

Я горжусь тобой и хочу сделать твою жизнь полнее и ярче, и я не собираюсь лишать тебя независимости.

Бережно взяв Шелли за подбородок, он приподнял ее голову. В глазах ее стояли слезы.

— Господи, откуда в тебе такая чуткость и понимание? — едва слышно спросила она.

— Ну ведь я намного старше и мудрее тебя, — озорно ответил Грант. Когда уголки ее рта дрогнули в улыбке, он серьезно произнес: — Вообще-то я не из тех мужчин, чьи жены обязаны оставаться в тени, твой успех будет мне только в радость.

— А что, если я поставлю своей целью стать директором банка?

— Я буду рядом, а то и подтолкну вверх по лестнице, если тебе понадобится поддержка. — Ладонь его скользнула к ее ягодицам и нежно сжала их. — Заманчивая, надо сказать, перспектива...

Она покраснела — скорее от того, о чем собиралась спросить, нежели от его проявления нежности.

— А если мне захочется сидеть дома и... и, возможно, завести детей?

— Конечно же, внесу свой посильный вклад, — торжественно заявил Грант, хотя смешинки так и плясали в его глазах, превратившихся вдруг в изумрудно-зеленые. — Шелли, ты должна знать, что я сделаю все возможное, горы сворочу, лишь бы ты была счастлива. Хочу, чтобы со мной ты нашла свое счастье. Чтобы оба мы были счастливы.

К его удивлению, улыбка вдруг исчезла с ее лица и она снова отвернулась.

— Шелли, бога ради, в чем...

— Я тоже хочу, чтобы ты был счастлив со мной, но боюсь не оправдать твоих ожиданий, — со слезами в голосе ответила она.

— О чем ты?

— То, что Дэрил сказал обо мне, правда. Когда мы поженились, я... я была как труп. Не знаю, что со мной случилось в эти последние несколько дней, но раньше я такой никогда не была. А вдруг мы поженимся и я... тебя разочарую? Я бы этого не пережила. У тебя было столько женщин, и...

— Шелли, Шелли, — вздохнул Грант, прижимая ее к груди. Пробежав пальцами по ее волосам, он любовно погладил ее за ушком. — Неужели ты собираешься слушать этого надутого павлина? Боже мой, разве ты не понимаешь, почему ему хотелось так тебя оскорбить? — Грант вгляделся в ее смущенное заплаканное лицо. — Он знал, что за твоей наружностью благовоспитанной леди скрывается страстная, чувственная натура. Я-то понял это десять лет назад, когда поцеловал тебя. Он злится оттого, что не сумел пробудить в тебе эту чувственность, и мысль эта будет терзать беднягу Дэрила всю его оставшуюся никчемную жизнь. И прискакал он сюда сегодня вовсе не из-за своей якобы пошатнувшейся карьеры, а из любопытства. Непреодолимое мазохистское влечение привело его сюда — он желал лично удостовериться, что твоя чувственность наконец-то выпущена на свободу. Ему хватило одного взгляда на тебя — и он узнал правду. И что ему оставалось? Он оборонялся единственным доступным ему способом — оскорбляя тебя.

— Но возможно, он прав.

— Я докажу тебе, насколько он ошибается, — лукаво улыбнулся Грант.

Шелли доверчиво посмотрела на него. Он нагнулся и легко поцеловал ее в щеку. Губы его скользнули по ее скуле, виску, лбу. Грант слегка отстранился, оценивая результаты своих трудов.

— Твои глаза подергиваются дымкой — верный признак возбуждения. Даже когда ты сама это отрицаешь, глаза тебя выдают.

Произнося все это, он тихонько поглаживал большими и указательными пальцами ее нежные ушки. Потом он склонился, поцеловал одно из них, пощекотал губами. Немного помедлил и, игриво проведя языком, легонько прикусил ровными белыми зубами.

Шелли вздрогнула и помимо воли положила руки ему на плечи. Однако он не спешил и наклонился теперь к другому ее уху. Она же попыталась повернуть голову, стараясь поймать губами его желанный рот.

Когда наконец Грант внял ее мольбе, они слились в поцелуе, словно бросая вызов земным и небесным силам, которые дерзнули бы их разлучить. Язык его нежно, но настойчиво исследовал ее рот, пробуждая воспоминания о недавних ласках.

— Боже, какой у тебя чудесный ротик! —

пылко прошептал Грант, даря ей все новые и новые поцелуи. — Как же я его люблю! Каждый раз, целуя тебя, я будто получаю все радости сразу.

Когда Грант вновь поцеловал ее, они опустились на одеяло. Руки его пробрались под свитер Шелли. С волнующей неспешностью он поглаживал ее теплую атласную кожу, поднимаясь все выше, и наконец, едва коснувшись ее груди, накрыл ее ладонями.

Дыхание Шелли участилось. Грант улыбнулся, приподнял ее свитер и залюбовался ее телом.

— Как ты могла усомниться в своей женственности? — с нежным укором произнес он. — Такие красивые... — Он обвел пальцем один из набухших кружочков. И еще раз... Кружочки съеживались и твердели на глазах. Не в силах более сдерживаться, Шелли извивалась, прижимаясь к Гранту.

— Поцелуй меня, — выдохнула она.

Он провел языком по ее соскам; приподняв голову, проследил за их откликом, затем, лаская один из них пальцами, другой осторожно обхватил губами. Шелли парила в невесомости, увлекаемая Грантом в состояние экстаза; она изгибалась дугой, извивалась в истоме, ее тело молило о снисхождении, призывая пришествие мужской плоти.

Он нежно сжал ее бедро, с ее губ сорвался возглас:

— О, Грант...

Целью его было не мучить, а доставлять наслаждение, и он тотчас откликнулся на ее безмолвную просьбу. Приподнявшись и вглядевшись в затуманенные глаза Шелли, он расстегнул ее джинсы и, просунув руку внутрь, под тонкие кружевные трусики, коснулся темного пушистого треугольника.

— Грант... — робко подала она голос, задыхаясь от его смелых ласк.

— Ты женщина, Шелли. Я покажу тебе, насколько ты женщина.

Лишь доли секунды сопротивлялась она его искусным пальцам, но, осознав, что это бесполезно, поддалась их чудесной магии и пленительным чарам. Осторожно, с необычайной нежностью он ласкал кончиком пальца средоточие ее женственности. Внутри Шелли постепенно разгоралось пламя.

Она прогнулась, безотчетно накрыла его ладонь своей и прижала. Пожар внутри полыхал все ярче.

— Шелли, посмотри на меня, — взмолился Грант, взяв ее за другую руку. Она с трудом открыла глаза и вгляделась сквозь пелену тумана в его лицо.

— Грант... ты... ах... любовь моя... — Точно яркая вспышка ослепила ее, пламя вырвалось наружу. Судорожно вцепившись в пальцы Гранта, Шелли изнемогала от жара пламени, пока огонь постепенно не угас.

Когда наконец пульс ее выровнялся и дыхание пришло в норму, она вновь открыла глаза. И тут же зажмурилась от яркого солнечного света. Грант склонился к ней. Шелли сонно улыбнулась.

— Не знаю, благодарить мне или стыдиться, — почти шепотом произнесла она.

— Никогда не стыдись своей природы и всегда помни, что доставляешь мне радость. Ты единственная женщина, которая мне нужна.

И тут она неожиданно поняла, как эгоистично поступила. Искоса взглянув на красноречивое свидетельство его желания, рвущееся через ткань джинсов, и не задумываясь о последствиях, Шелли мягко коснулась Гранта.

— Извини. Это было нечестно по отношению к тебе.

Улыбнувшись, Грант принялся расстегивать ремень.

— А мы еще не закончили.

Шелли расхохоталась с жизнерадостностью шаловливого ребенка:

— Грант, но ведь нельзя. Нас могут увидеть.

— Чепуха. — Он прокладывал дорожку из поцелуев по ее шее. — Расслабься.

— Но я не могу, — задыхаясь, вымолвила она, невольно все же расслабляясь по велению его искусных губ. — Я никогда не занималась любовью на природе.

— Никогда-никогда?

— Нет.

— И я тоже, — признался он, — так что самое время заняться.

ГЛАВА 9

— Ну?

Губы Гранта неспешно скользили по ее волосам.

— Что «ну»? — Она прижалась к нему, наслаждаясь исходящим от него теплом.

— Выйдешь за меня замуж?

Пробравшись к ней под свитер, Грант погладил ее грудь. Всего несколько минут назад Шелли лежала обнаженная, открытая его ласкам. Страсть, бурлившая в нем, с поцелуями передавалась к Шелли и блаженно разливалась по всему ее разгоряченному телу. Теперь же она наслаждалась его нежными поглаживаниями.

— Меня можно уговорить.

— Ну пожалуйста. — Он продолжал ласкать ее. — Я люблю тебя. Эти выходные — настоящая сказка; надеюсь, у нас будет еще тысяча подобных дней. Но даже этого для меня недостаточно, Шелли. Я хочу, чтобы мы соединили свои судьбы, чтобы мы делили радость и горе, а не только постель... Ты не из тех, с кем просто «живут вместе». Я верю в супружество. Выходи за меня, Шелли.

— Ты уверен, Грант? Я ведь провинциалка, а не столичная штучка, как те женщины, с которыми ты привык иметь дело.

Он покачал головой:

— Я вовсе не тот светский лев, каким меня представила пресса после гибели Мисси. Но боже, в любом случае мне нужна только ты.

— Тогда вопрос, кажется, решен. — Брови Гранта вопросительно поднялись. — Дело в том, что, сколько себя помню, мне был нужен только ты.

* * *

Ворвавшись на следующее утро в приемную ректора Мартина, Грант, не глядя по сторонам, подошел к столику секретарши и, опершись на него, грозно навис над дамой.

— Я пришел точно вовремя, — отчеканил он.

Секретарша растерянно поморгала, всматриваясь сквозь толстые стекла очков, и облизнула тонкие губы.

— Он... он примет вас, как только побеседует с миссис Робинс.

Кивком головы дама указала на другую персону, присутствовавшую в приемной. У стены, на одном из неудобных стульев с прямой спинкой, сидела Шелли.

Резко повернувшись, Грант увидел ее. Губы его гневно дрогнули. Бросив неодобрительный взгляд на секретаршу, он пересек этот неприветливый кабинет и подошел к Шелли. Без тени смущения взяв ее ладонь в свою, он крепко сжал ее, присаживаясь на соседний стул.

— Значит, ты тоже получила приглашение, — тихо сказал он, заметив конверт с монограммой в ее руке — точно такой же он сам получил утром. Там он обнаружил предписание явиться в офис ректора к десяти часам для чрезвычайно серьезного разговора.

— Ага. Утром какой-то юнец доставил. Я пыталась тебе дозвониться, но тебя уже не было дома.

— Ты в порядке? — Он ласково погладил ее ладонь, всматриваясь во встревоженное лицо.

— Да, — попыталась улыбнуться она. — Правда, не выспалась.

Когда после прогулки он отвез ее домой, то, по обоюдному согласию, не остался на ночь; они решили, что и ей неразумно будет ночевать у него, пока они не поженятся.

— Я тоже не спал. Не знал, куда девать руки.

— Тс-с, — шепнула она, заливаясь краской.

— Я просто не мог дождаться, когда увижу тебя сегодня утром, а тут *это*. — Грант выхватил из ее рук конверт и хлопнул им по своей руке.

— О чем... э-э... — Она покосилась на секретаршу, которая даже не пыталась скрыть свой жадный интерес, и, понизив голос, продолжила: — Как по-твоему, зачем нас вызвали?

Грант одарил ее взглядом, в котором смешались раскаяние и озорство.

— Ты чертовски хорошо знаешь зачем, и я тоже.

— Думаешь, Прю Циммерман выполнила свою угрозу?

— Возможно. Она наверняка постарается так или иначе досадить мне. — Грант стукнул себя кулаком по колену. — Черт! Плевать я хотел, что они обо мне думают. Только я не люблю, когда со мной обращаются как с сосунком, пойманным в дамских панталонах. — Заметив, как побледнела

Шелли, он торопливо пробормотал: — Извини, неудачно выразился.

Они посмотрели друг на друга и, вспомнив проведенные вместе сокровенные мгновения, сделали вдруг нечто совершенно неожиданное — расхохотались. Они смеялись, радуясь друг другу и своей любви. Лицо шокированной секретарши только сильнее развеселило их.

Она все еще надменно взирала на них, когда загудел селектор.

— Да? — произнесла она в микрофон. — Да, конечно. — Ее водянистые глаза остановились на Шелли. — Ректор Мартин желает сначала принять вас.

Шелли встала. Грант тотчас подскочил.

— Он примет нас вместе, — заявил он, шагнув к устрашающей двери.

— Грант! — схватив за рукав, Шелли остановила его. — Я не боюсь. Честное слово.

— А я и не позволю ему запугивать тебя. Мы пойдем вместе. — Он сделал еще один решительный шаг, но Шелли вновь удержала его:

— По-моему, воинственность в данном случае не лучшая тактика.

Грант обернулся к ней и сокрушенно вздохнул. Затем, улыбнувшись, но уже менее стремительно, увлек ее к двери кабинета.

— Ты будешь мне хорошей женой. Во всех отношениях.

Ректор Мартин восседал за письменным столом, однако поднялся, когда в кабинет вошла

Шелли; лицо его приняло благосклонное выражение, но тотчас закаменело вновь, когда следом за
ней появился Грант.

— Я попросил войти только миссис Робинс.

— Она согласилась, чтобы мы зашли к вам
вместе, господин ректор, — почтительно, чуть ли
не робко ответил Грант.

Шелли обернулась в полнейшем изумлении:
тот ли это человек, с которым она только что сидела в приемной?

Несмотря на уважительный тон Гранта, глава
университета, очевидно, не намеревался менять
своих намерений.

— Присядьте, пожалуйста, — надменно велел он.

Грант сначала помог сесть Шелли, после чего
устроился на соседнем стуле. Она целомудренно
одернула юбку, Грант же с вежливым интересом
уставился на каменное лицо ректора.

— Я надеялся, что этого разговора удастся из-
бежать, — печально начал тот, будто монарх, изви-
няющийся перед еретиком за предстоящую казнь. —
Поскольку наш университет существует благодаря поддержке церкви, мы находимся под пристальным вниманием окружающих — гораздо
более пристальным, нежели преподаватели и студенты любого государственного университета.
Ваш... хм... интерес друг к другу, возможно, остался бы без внимания в другом месте, однако
здесь он вызывает резкое осуждение. Когда вы,
мистер Чепмен, пришли к нам, над вами и без

того висела тень подозрения. Откровенно говоря, вы нас разочаровали. Мы...

— Имеете в виду мою преподавательскую квалификацию?

Ректор был явно рассержен, что Грант нарушил ход его мыслей:

— Э-э... нет. С моей стороны было бы несправедливо умолчать о том, что декан кафедры находит вашу работу похвальной.

— Приятно слышать, — широко улыбнувшись, вздохнул Грант.

— Однако, — сурово продолжал ректор Мартин, — ваш морально-нравственный облик важен в нашем университете не менее, чем ваши преподавательские качества. — Он строго взглянул на них, давая понять, что подошел к сути дела. — До сведения одного из наших самых щедрых... э-э... спонсоров... было доведено, что вы сожительствуете. Мы находим этот факт ужасным и недопустимым. Упомянутый спонсор пригрозил отозвать субсидию, уже предназначенную для строительства нового учебного корпуса, если вы, миссис Робинс, не будете исключены, а вы, мистер Чепмен, — освобождены от своей должности по окончании этого семестра.

— Но...

Грант стиснул ладонь Шелли, удерживая ее от гневного выпада.

— Могу я спросить, кто наш обвинитель?

— Не понимаю, какое это имеет значение. Он добропорядочный член нашего общества, известный врач в Оклахома-Сити. Его дочь училась в нашем университете, так же как в свое время и он сам.

В голове Шелли вдруг родилась интересная мысль. Она взглянула на Гранта. Интересно, разделяет ли он ее подозрения? Его мрачный взгляд говорил сам за себя. Тем не менее ему удалось совладать с собой.

— Думаю, что знаю, о ком вы говорите и почему столь занятой и выдающийся доктор, каким вы его описали, вдруг заинтересовался личной жизнью людей, с которыми даже незнаком. Видите ли, не далее как вчера я имел несчастье познакомиться с его будущим зятем.

Кулак ректора с грохотом опустился на стол.

— Мистер Чепмен...

— Позвольте мне закончить. Доктор Мартин, мы с миссис Робинс намерены пожениться в следующее воскресенье. Вряд ли мы сможем более определенно продемонстрировать свое отношение друг к другу. Ни в моем контракте, ни в уставе университета не записано, что преподаватель не может жениться на женщине, которую любит. Передайте вашему «щедрому спонсору», что если он и дальше будет вмешиваться не в свое дело, то кое-кто из известных мне журналистов с радостью ухватится за подобную историю. Некоторые из них считают себя моими должниками: в Вашингтоне они несправедливо со мной обошлись, а потом переосмыслили свои разоблачительные статьи. Уверен, они охотно облегчат свою совесть и загладят вину. Достаточно одного телефонного звонка — и статьи о нашей предстоящей свадьбе, равно как и о предвзятости суждений, царящей в этом университете, под аршинными заголовками разойдутся по всей стране. Вы опасаетесь, что наш роман повредит репутации вашего университета? Думаю, вы еще не осознали, какую бурю может повлечь за собой всего лишь один телефонный звонок. Так вот, задумайтесь об этом, — коротко закончил Грант и, поднявшись, с теплой улыбкой протянул руку Шелли.

Он увлек ее к двери, но не прошли они и половины пути, как услышали голос ректора:

— Подождите! — воскликнул он, и в голосе его явственно сквозили панические нотки.

Они обернулись. Доктор Мартин суетливо одернул полы пиджака.

— Я... я не знал, что вы собираетесь пожениться так скоро. Разумеется, это в корне меняет ситуацию. Как только все будет разъяснено... э-э... доктору... э-э... спонсору, уверен, он все поймет.

Рассчитывая услышать благодарности, ректор сделал паузу. Грант лишь молча смотрел на него. Мартин сделал попытку улыбнуться, но успехом она не увенчалась.

— Мистер Чепмен, ваш декан очень доволен тем, как вы строите свои занятия. Не исключено, что мы сможем повысить вам жалованье, как только ваш контракт будет продлен попечительским советом. — Он снова одернул пиджак. — А так как миссис Робинс с самого первого семестра неизменно присутствует в списке лучших студентов, никакой реальной возможности исключить ее из университета не было.

— Да. Это было бы абсурдно, верно? До свидания, господин ректор.

— Всего доброго, доктор Мартин, — сказала Шелли и вышла в открытую Грантом дверь.

Когда он тихо прикрыл ее за ними, Шелли повернулась и обессиленно прижалась к нему.

— Это все Дэрил. Как он мог? — прошептала она.

— Просто он узколобый мерзавец, вот и все.

Секретарша возмущенно охнула, чем привлекла к себе их внимание. Не сводя с парочки своих округлившихся глаз, она вцепилась клешневидной рукой в свою худосочную грудь.

— Бога ради! — прорычал Грант. — Пойдем-ка отсюда, пока я не сорвался.

* * *

Дни летели быстро, поскольку оба были чрезмерно заняты. Шелли по-прежнему посещала занятия, а Грант неустанно готовился к лекциям и читал их.

Все остальное время они по возможности проводили друг с другом. Грант забегал к себе, только чтобы забрать почту и поспать несколько часов, вернувшись от Шелли.

— И зачем я только плачу за квартиру? — как-то пошутил он. — Парнишка, что живет по соседству, сказал, что кто-то меня сегодня спрашивал. Посыльный, кажется.

Они уже решили сдать его квартиру и жить у Шелли, пока она не закончит университет.

— У тебя дома больше места, — резонно отметил Грант. — Я смогу переделать вторую спальню под кабинет.

— А как насчет кабинета для меня?

— Будет один на двоих.

— Но там уместится только один письменный стол и один стул.

— Можешь сидеть у меня на коленях.

— Ну уж нет.

— Отлично, тогда я буду сидеть у тебя на коленях.

Шелли отчаянно пыталась сохранить серьезное выражение лица.

— Знаешь, если так дальше пойдет, я буду воспринимать тебя только как сексуальный объект.

Он улыбнулся, обнял ее, привлек к себе, удивляясь и радуясь своему неутолимому влечению к ней.

— Не возражаю, — прошептал Грант, — пусть мне все завидуют.

Родителей Шелли известили о предстоящей свадьбе, и после первоначального шока и долгого телефонного разговора с Грантом они обещали приехать в воскресенье днем.

Шелли теперь не сомневалась в своем решении выйти замуж за Гранта. Его заботливая нежность не имела ничего общего с эгоизмом Дэрила.

Хотя Гранту и было свойственно некоторое без-
рассудство, порой даже бунтарство, Шелли считала это неотъемлемой частью его очарования. Понимала она и то, что сама больше не пребывает во
власти девичьей влюбленности; она любила этого
мужчину, а вовсе не лелеяла воспоминания своей
юности. Но главное — им удалось преодолеть и в
себе, и в окружающих это условное табу, так ус-
ложнившее и запутавшее их отношения поначалу, — если, конечно, считать добрым знаком серебряный поднос, присланный попечительским
советом в качестве свадебного подарка.

Ничто теперь не мешало их счастью.

* * *

— Ах, это ты, Грант! — воскликнула Шелли,
открывая дверь.

Он прислонился к косяку, не в силах сдержать
смех.

— Я думала, это мои родители, — объяснила
она.

— Разве я похож на твоего отца?

— Не умничай. Тебе сюда нельзя. Жениху не
положено видеть невесту до свадьбы. — Она пре-
градила вход в свой дом, стоя в одной ночной рубашке, которая едва доходила ей до середины
бедер. Волосы ее были накручены на бигуди, на
лицо положена зеленая маска.

— Но это же глупо, — возразил он, пытаясь
протиснуться в дверь. В руках у него была картон-
ная коробка с книгами и небольшой чемодан-

чик. — Мне уже пора перетаскивать сюда кое-какие пожитки. Не забыла, что я собираюсь тут поселиться, а?

— Не знаю, не знаю. Я еще могу передумать.

Грант рассмеялся:

— Пойду разложу эти книги в своем будущем кабинете.

— А я пойду умоюсь, хотя маску надо было бы подержать еще минут пять, — проворчала она. — Но только пеняй на себя, если лицо мое не будет сияющим и румяным, как у порядочной невесты!

— Кожа у тебя просто чудесная, — сказал он спустя некоторое время, присоединившись к Шелли в ванной комнате, где Шелли уже умылась, искусно наложила макияж и, освободив волосы от бигуди, пыталась уложить их.

Взглянув на его отражение в зеркале, Шелли заметила, что он смотрит не на ее лицо, а на ноги. Пламя страсти, полыхавшее в его глазах, передалось и ей, разбудив дремавшее желание.

— Может, тебе лучше посидеть в другой комнате, пока не приехали мои родители и твой брат?..

— Возможно, — нехотя согласился Грант, следя за плавными и грациозными движениями ее рук, невольно подмечая, как ее грудь колышется под ночной рубашкой всякий раз, стоит ей только шевельнуть ими. — С другой стороны, они приедут не раньше полудня. У нас еще есть время.

Шелли отвела взгляд.

— Ты прекрасно смотришься, — заметила она, распыляя лак над своей прической.

Темный костюм, светло-голубая сорочка и строгий галстук казались неуместно официальными в интимной атмосфере ванной.

— Спасибо, — рассеянно поблагодарил он, любуясь линией ее шеи и считая каждый удар пульса в соблазнительной впадинке между ключицами. — Ты тоже.

— Я... я же еще не одета, — с трудом выговорила Шелли, поворачиваясь лицом к Гранту.

— Вот и я о том же. — Голос его задрожал от волнения; он склонился к ее лицу, и в широко распахнутых его глазах она увидела свое отражение, свои руки, взлетевшие, чтобы обнять его.

— Уже поздно, Грант. Мне надо одеться.

Поцеловав ее, он зарылся лицом в ее волосы.

— Да-да, конечно, иди одевайся. Не позволяй, чтобы я тебе мешал...

Руки его тем временем, выше поднимая подол ее ночной рубашки, пробрались под трусики, и, крепко сжав ее бедра, Грант придвинул Шелли к себе.

Губы ее в исступлении искали его губы, и наконец они встретились. Прижимаясь к нему всем телом, она умоляла положить конец томлению, которое, казалось, вот-вот ее погубит.

Грант поднял ее на руки и, отнеся в спальню, опустил возле кровати. Не отводя глаз от любимого лица, Шелли стала возиться с пряжкой узкого ремня из шкурки ящерицы на брюках Гранта. Наконец та поддалась, и ей удалось расстегнуть его брюки. После чего дрожащими руками она освободилась от полупрозрачных нейлоновых трусиков.

Грант ослабил узел галстука и снял его через голову, без лишних церемоний сбросил на пол пиджак, к которому вскоре присоединились брюки, туфли и носки; все это время он не сводил глаз с Шелли, которая, лежа на ковре, расстегивала ночную рубашку. Сам он, не выдержав ожидания и напряжения, опустился на колени.

Мягко разведя ее ноги в стороны, Грант боготворил ее вначале глазами, затем руками и — губами. Всю свою любовь вложил он в эти трепетные ласки.

Он почувствовал, когда Шелли была уже не в силах сдерживаться, и, прижавшись к ней, устремился в столь жаждущее принять его лоно. Каждое движение было словно любовная песня, сочиненная всем его существом для нее. Страсть его прорвалась наружу в то самое мгновение, когда Шелли воспарила над Вселенной, а их восторженные крики звучали все громче и громче...

В полном изнеможении Грант положил голову на грудь Шелли. Она нежно провела кончиками пальцев по его лицу.

Приподнявшись, он поцеловал ее грудь, точно отдавая дань всему тому, что делало ее женщиной. Затем он поднял голову и взглянул Шелли в лицо. Блаженная вялость, разлившаяся по его телу, отражалась и в ее глазах, светившихся от счастья.

Слегка коснувшись ее пухлой нижней губы и ямочек на щеках, он прошептал:

— Не знаю, чего ждать от свадьбы, но медовый месяц обещает быть просто потрясающим.

* * *

Надев жемчужные сережки, Шелли поспешила вниз, в гостиную. Грант был уже там и приветствовал ее родителей: он уже обменялся рукопожатием с отцом и сейчас беседовал с матерью.

В дверь позвонили, когда он пытался завязать галстук. Встретившись с Шелли взглядом в зеркале, Грант озорно подмигнул:

— Еще бы один поцелуй — и не успели бы. — Надев пиджак, он чмокнул ее на ходу в щеку. — У тебя под левым глазом тушь размазалась.

— А у тебя на правом лацкане пушинка от ковра! — театральным шепотом отозвалась она. Смахнув пушинку, Грант побежал открывать дверь.

Оставшись одна, она не спеша подправила макияж, пригладила волосы, еще раз придирчиво себя осмотрела в зеркале и, вполне удовлетворенная собой, поспешила вниз.

Первые минуты встречи прошли шумно и суматошно: родители поочередно обнимали Шелли, восхищались ее кремовым шелковым костюмом, вручили им целую кипу подарков, в том числе и от друзей из Пошман-Вэлли.

— Что-то мой братец Билл опаздывает, — заметил Грант. — Они с женой едут на машине из Талсы.

Шелли была благодарна родителям за то, что они с готовностью приняли ее будущего мужа; между ними сразу установилось взаимопонимание.

— Хотите кофе? — предложила она.

— Неплохо бы после такой поездочки, — улыбнулся отец.

В этот момент позвонили в дверь — и тут же задребезжал телефон.

— Я займусь телефоном и кофе, — вызвался Грант. — А ты дверью. Наверное, это Билл, так что сразу и познакомишься.

Когда Шелли распахнула входную дверь, ее радушная улыбка вмиг сменилась недоуменной.

— Слушаю вас, — неуверенно обратилась она к мужчине в форме, стоявшему на пороге.

— Мистер Грант Чепмен здесь?

— Да. А вы...

— Помощник шерифа Картер, мэм. Могу я поговорить с мистером Чепменом?

— Это Билл звонил, — сказал Грант, возвращаясь в гостиную. — Они опаздывают... В чем тут дело?

— Мистер Чепмен? — спросил полицейский.

— Да.

Тот сунул в руку Гранта конверт.

— Что это?

— Повестка. Вас вызывают в гражданский суд в пятницу, к десяти часам утра. Вам предъявлен иск.

— Суд... иск? — опешил Грант. — Что еще за иск?

Помощник шерифа осмотрел комнату: он увидел молодую симпатичную женщину, мужчину в темном костюме, очень напоминавшего жениха, свадебные подарки в оберточной бумаге на журнальном столике, а рядом — коробочку с орхидеей.

Не в силах встречаться с Грантом взглядом, он ответил смущенно и даже сочувственно:

— Иск об отцовстве.

ГЛАВА 10

— Иск об отцовстве? — Грант попытался рассмеяться. — Это шутка? Ну-ка признавайтесь, вас ребята из теннисного клуба подослали? — Он обернулся к Шелли. — Эти парни такие...

— Простите, мистер Чепмен, — вмешался помощник шерифа Картер. — Это не шутка.

Несколько секунд Грант недоуменно смотрел на него, затем вытряхнул из конверта повестку и быстро пробежал ее глазами. Сомнений в ее подлинности не было.

— Циммерман, — с трудом выдавил он из себя. — Эта коварная сучка. — Слова эти он произнес еле слышно, но они, казалось, гулким эхом отскочили от стен безмолвной комнаты.

— Простите, что не известили заблаговременно, но мы не могли вас найти. Я несколько раз заходил к вам домой. Советую связаться с адвокатом.

— Обойдусь своими силами. Значит, в пятницу, в десять утра? — Полицейский кивнул. — Извините, что не благодарю.

— Мне очень жаль, — сказал Картер Гранту и,

коснувшись козырька фуражки, кивнул Шелли, пробормотав: «Мэм...» — повернулся и торопливо зашагал по аллее к служебной машине, припаркованной у обочины.

Грант захлопнул дверь и шумно выдохнул.

— Бесподобный подарочек к свадьбе, — со злостью произнес он. — Боже мой, Шелли, да я...

При виде ее потрясенного лица он замер как громом пораженный. В ее округлившихся глазах застыл ужас. Яркий румянец, который Грант похвалил всего лишь час назад, сменился мертвенной бледностью; губы побелели, отчего коралловая помада выглядела до нелепости кричащей. Шелли стояла прямо, но дрожала всем телом, словно только кожа и удерживала ее, мешая разлететься на миллион частиц.

— Шелли! — Голос его срывался. — Скажи мне, что ты не думаешь... Скажи, что ты не веришь, будто эта девица забеременела от меня.

Ничего не видя вокруг себя, она замотала головой, сначала медленно, затем все быстрее.

— Нет, нет, нет. — Глаза ее несколько раз моргнули, будто пытались все-таки что-то разглядеть в комнате.

В два шага Грант очутился рядом с ней и взял ее за плечи.

— Посмотри на меня, — приказал он. В его железных руках она чувствовала себя безжизненной куклой. — С этой девицей у меня совершенно ничего не было, — процедил он сквозь зубы. — Ты мне веришь? — Он слегка встряхнул ее.

Руки Шелли обвисли по бокам, а остекленевшие глаза смотрели в его напряженное, искаженное гневом лицо.

Как же ей хотелось ему поверить! Конечно же, у него ничего не было с Прю Циммерман, но... Сама-то она тоже была юной девушкой, когда он впервые поцеловал ее... И Мисси Ланкастер... беременная. Он сказал, что Мисси ждала ребенка не от него, что он никогда не был ее любовником. Он не лгал. Не мог лгать. Он ведь ее любит. *Ее*, Шелли. И все же...

Грант убрал руки с ее плеч, отпустив их так резко, что она едва не упала. Мгновение он всматривался в ее отрешенное лицо, и во взгляде его боролись отвращение и боль. Шелли так и не поняла, какое из этих чувств одержало победу.

Он отвернулся и обратился к ее отцу:

— Билл собирался встретить нас у церкви. Я перехвачу его там и отменю церемонию.

Когда Грант вновь взглянул на Шелли, она уже не в силах была встречаться с ним глазами. В тот момент она вообще ничего не испытывала — ни гнева, ни боли, ни разочарования, ни отчаяния. Силы разом покинули ее, оставив лишь саднящую пустоту, которая некогда была ее душой.

Выходя, Грант не хлопнул дверью, но тихий щелчок замка прозвучал громом на свадебном небосклоне.

* * *

— Шелли, девочка... — Ее мать первая нарушила гробовое молчание, повисшее в комнате. Шелли не знала, сколько простояла так, в оцепенении уставившись на закрытую дверь. Мать вновь окликнула ее.

Шелли подняла голову и увидела, что родители с опаской смотрят на нее. Неужели боятся, что она станет безумствовать, скрежетать зубами, рвать на себе волосы, биться головой о стену? Впрочем, их настороженность оправданна: Шелли готова была к подобным действиям.

— Кажется, вы напрасно сюда приехали. Похоже, свадьбы не будет.

В глазах родителей читалось сострадание. Шелли была не в силах вынести его.

— Пожалуй, я прилягу... ненадолго. — Она повернулась и медленно пошла в сторону холла, но по лестнице в спальню уже почти бежала.

Упав на постель, она уткнулась в подушку и громко, отчаянно разрыдалась. Тело ее корчилось от непереносимой боли, терзавшей душу. Ярость находила выход в слезах и проклятьях, сжатые кулаки исступленно молотили по подушке. Никогда еще она не позволяла себе подобного — но ведь никогда прежде ее мир не рушился так безжалостно.

Вспышка вскоре прошла, и Шелли почувствовала себя совершенно опустошенной; к изнеможению добавлялось отчаяние — черное, непроглядное, обволакивающее со всех сторон, удушающее.

Почему она усомнилась в невиновности Гранта? В чем она его заподозрила? Почему она не разозлилась на козни Прю Циммерман и не поддержала Гранта? Ведь именно этого он от нее ждал.

Но она не поддержала, не утешила его. *Почему?*

Потому что в глубине души она все же допускала, пусть и ничтожную, вероятность того, что это может оказаться правдой. Она не раз повторяла ему, что скандальная история с Мисси Ланкастер не имеет для нее значения, — однако же имела. Семена недоверия, помимо ее воли брошенные в душу, проросли при первой же тени сомнения.

Неужели все, кроме нее, ошибались в Гранте? Вряд ли. Могла ли любовь, которую она всегда к нему испытывала, ослепить ее, заслонив двойственность его натуры? Неужели она остается все той же влюбленной школьницей, которая принимает на веру все, что он говорит?

Нет-нет, вряд ли он поддерживал отношения с Прю Циммерман после того, как она, Шелли, стала его помощницей. Вполне возможно, девица врет только ради того, чтобы выполнить свою угрозу — расквитаться с Грантом за то, что он ее отверг. Но Прю так вольготно чувствовала себя у него дома, танцующей походкой впорхнув в комнату...

— О боже, — воскликнула Шелли и вновь зарылась лицом в подушку.

Все это непостижимо и бессмысленно. Как он

смотрел на нее — с того самого дня, когда впервые с ней заговорил, как безоглядно они любили друг друга всего несколько часов назад... нет, он наверняка любит ее. Такую страсть просто невозможно сыграть.

Долгие часы эти тяжкие мысли кружились в ее голове. То ей вдруг хотелось бежать к Гранту, вымолить прощение за недоверие к нему — но в следующий момент Шелли вспоминала, *как* он поцеловал ее, когда ей было всего шестнадцать... Мисси Ланкастер была моложе его больше чем на десять лет. И Прю тоже...

— Шелли?

Тихий стук в дверь заставил ее очнуться. Борясь со слабостью и головокружением, Шелли села, спустив ноги с кровати.

— Да, мам...

Дверь открылась, и луч света проник в комнату. Когда же успело стемнеть?

— Я подумала, может, ты чаю хочешь...

— Да, спасибо.

Мать поставила поднос на тумбочку возле кровати.

— Деточка, давай-ка снимем с тебя этот костюм.

Через несколько минут Шелли уже лежала под одеялом в ночной рубашке, но совсем не той, которую она приготовила для этой ночи. Взгляд ее упал на соседнюю подушку — ту, на которой должен был лежать Грант. Одинокая слезинка медленно скатилась по ее щеке. Мать взяла ее за руку и сочувственно сжала.

— Засыпай, милая. Тебе нужно хорошо выспаться.

Когда комната вновь погрузилась во мрак, Шелли окутало блаженное забытье сна, которому не хотелось сопротивляться.

* * *

Наутро родители уехали, хотя и неохотно. Они предлагали остаться у нее еще на несколько дней, но Шелли предпочла побыть одна. Чувствуя себя оболочкой человеческого тела, из которого вынули и сердце и душу, следующие несколько дней она провела в затворничестве.

На третий день она впервые поела. Позвонив сокурсникам, она попросила у них конспекты лекций, понимая, что рано или поздно ей снова придется как-то жить. Нельзя позволять себе слишком уж запускать учебу. Профессиональная карьера — это теперь единственное, что у нее осталось.

Когда однокурсники принесли нужные конспекты, она не впустила их в дом, заявив, что подцепила какой-то жуткий вирус — по словам доктора, очень опасный.

Родители звонили ей каждый вечер, и Шелли усиленно старалась придать своему голосу живость, чтобы хоть как-то успокоить их.

В пятницу утром Шелли выползла из постели, машинально побрела на кухню и принялась варить никому не нужный кофе. Когда зазвонил телефон, она так же машинально подняла трубку.

— Шелли, — повелительным тоном заявила ее мать, — мы с отцом считаем, что тебе следует на несколько дней приехать к нам. Тебе просто необходимо выбраться из этого дома.

— Нет, мама. В последний раз повторяю: у меня все будет в порядке. Нужно просто время, чтобы его забыть.

— Сомневаюсь. Ты ведь всегда испытывала особые чувства к этому мужчине, Шелли.

— Да, мам. Всегда, — призналась Шелли.

— Так я и думала. Весь тот год — кажется, это был твой выпускной класс, — ты только о нем и говорила. Когда он уехал, ты впала в депрессию, ко всему потеряла интерес. Поначалу я не поняла, в чем дело, но, когда ты продолжала без конца повторять его имя, да еще с такой тоской, — я задумалась. А потом ты вроде бы оправилась, уехала в колледж. Я совсем забыла о нем, пока однажды он не позвонил. Признаться, я была удивлена. А когда он представился...

Шелли прижала телефонную трубку к уху.

— Он звонил? — едва слышно переспросила она. — Звонил? Когда? Он приезжал в Пошман-Вэлли?

Мать тотчас уловила волнение в голосе Шелли.

— Нет, он звонил из Оклахома-Сити. Сказал, что приехал из столицы по поручению одного из конгрессменов. Я...

— Что он хотел?

— Он... он спрашивал о тебе, интересовался, где ты, чем занимаешься, как живешь...

Сердце неистово забилось в груди Шелли. Грант не забыл ее! Он звонил! Она с трудом перевела дыхание.

— Мама, когда это было? *Где* я тогда была? *Как* жила?

— О господи, Шелли, да не помню я. По-моему, это было весной, тогда ты только что вышла замуж за Дэрила. Да-да, кажется, так — помню еще, вы с Дэрилом обсуждали, не оставить ли тебе учебу и не пойти ли работать...

— Так я была замужем. И ты сказала это Гранту?

— Ну да. Сказала, что ты вышла замуж и живешь в Нормане. Странно, что он тебе не рассказывал...

Шелли поникла. Зажмурившись, она пыталась справиться с острой болью. Грант хотел связаться с ней, но она была уже замужем. Он находился в Оклахома-Сити, так близко. А она только что вышла замуж, всего несколько месяцев назад. Потом Грант вернулся в Вашингтон, а она так и не узнала, что он звонил. Так близко... Не будь она тогда замужем — могла бы с ним встретиться и... Так близко. Если б только... Но было уже слишком поздно. Слишком поздно... *Тогда* было!

Пелена с ее глаз упала, туман в голове рассеялся.

— Который час? — спросила она, бросив горящий взгляд на настенные часы. — Без двадцати десять. Ну пока, мам, я тебе попозже перезвоню.

А сейчас мне надо торопиться. Да — и спасибо тебе!

Бросив трубку на аппарат, она вылетела из кухни, на ходу скидывая халат.

— Я добьюсь его! Давным-давно мне следовало это сделать, — твердо сказала она себе. — Грант не имеет никакого отношения к беременности этой девицы. Он меня любит! Я знаю!

Метнувшись в ванную, она торопливо наложила макияж. К счастью, накануне вечером она приняла душ и вымыла голову.

— Я люблю его уже десять лет, — сказала она своему отражению в зеркале. — Да мне надо было бежать к нему сразу после окончания школы и признаться в этом. Отправиться в Вашингтон, чтобы увидеться с ним, или позвонить, или написать — но я ничего такого не сделала. Порядочная девушка так не поступает. Она выходит замуж за вполне приемлемого молодого человека, и неважно — любит она его или нет. Она всегда плывет по течению, но никогда — против.

Она, Шелли, всегда любила Гранта, но ей не хватало мужества заявить о своей любви. Всю жизнь она боялась поднять даже мельчайшую рябь на воде. На сей раз она готова устроить шторм.

* * *

— Юная леди, у вас должна быть очень веская причина, чтобы прервать наше заседание и ворваться сюда, — сурово произнес судья.

— Совершенно верно, — без тени смущения

ответила Шелли, глядя в упор на Прю Циммерман. — Она лжет. Мистер Чепмен никоим образом не может быть отцом ее ребенка, если она действительно беременна.

Добравшись до здания суда, Шелли выяснила, что слушание дела уже началось в палате мирового судьи. Очевидно, стороны желали уладить дело до суда.

Шелли обратилась к судебному приставу, вручила ему записку и настояла на том, чтобы ее впустили в зал, так как она располагает важной информацией, относящейся к делу. После долгих уговоров пристав согласился передать записку судье.

Она услышала отчетливое «нет» Гранта и возражения Прю Циммерман, однако ей все-таки позволили войти. Взглянув в недовольное лицо судьи, Шелли внутренне поежилась. Но теперь, отважно сделав свое заявление, испытала прилив гордости.

Впервые с тех пор, как она переступила порог палаты мирового судьи, Шелли взглянула на Гранта. Его глаза излучали любовь к ней. Шелли с облегчением вздохнула, поняв, что он не винит ее за сомнения.

— Мисс Циммерман, бесспорно, беременна, — сообщил судья. — На этот счет, миссис Робинс, у нас есть письменные показания одного уважаемого доктора. На чем основывается ваше утверждение?

Она набрала воздуха в легкие.

— Мистер Чепмен неоднократно показывал, что эта девушка его не интересует. Однажды, когда я была у него дома, туда пришла мисс Циммерман. Мистер Чепмен настаивал, чтобы она немедленно ушла и больше не возвращалась. Тогда мисс Циммерман пообещала отомстить ему за то, что он ее отверг. Думаю, это и есть ее способ мести.

Еще она рассказала и о телефонном звонке Прю Циммерман Гранту.

— Мистер Чепмен был совсем не рад этому звонку. И даже не хотел с ней разговаривать.

— Вы делаете самостоятельные выводы, но пока что не будем заострять на этом внимание, — заметил судья. — В этих ситуациях, когда вы находились дома у мистера Чепмена... — судья прокашлялся, — вы были там с чисто платоническими целями?

В комнате повисло тяжелое молчание.

— Нет.

Брови судьи взлетели вверх. Несколько томительных мгновений он выжидал, постукивая карандашом по стопке бумаг на своем столе; покосился на Прю Циммерман, о чем-то шептавшуюся с адвокатом. Затем перевел цепкий взгляд на Гранта.

— Мистер Чепмен, я незнаком досконально с той прискорбной историей в Вашингтоне. Виновны вы были или нет — к данному делу это отношения не имеет. Однако, оказавшись однажды причастным к скандалу, человек становится уязвимым для ложных обвинений. Напоминаю вам, что вы даете показания под присягой. Состояли ли вы в интимных отношениях с мисс Циммерман?

— Нет, никогда. — Голос Гранта прозвучал негромко, но твердо и уверенно.

Прю Циммерман заерзала на стуле, когда судья взглянул на нее.

— Итак?

Прю вдруг разом как-то обмякла и закрыла лицо руками.

— Мой парень меня бросил. Я не знала, что делать. Простите меня, простите.

Возникла суета. Пока адвокат Прю выводил ее из палаты мирового судьи, она умоляла Гранта и Шелли простить ее за вранье. В конце концов судья зачитал официальное постановление о прекращении дела против Гранта.

Когда он закончил, Грант стремительно метнулся через весь зал, взял Шелли под руку и увлек в укромный уголок возле окна. Обхватив ладонями ее лицо, он приподнял его, вглядываясь пылающими от любви глазами.

— Зачем ты ввязалась в эту историю? Через несколько минут правда все равно бы выплыла наружу.

— Я хотела, чтобы ты знал, *как* я тебе верю, как сильно люблю тебя. Прости, что подвела тебя, когда ты больше всего нуждался в моем доверии.

Он нежно расцеловал ее.

— Признаться, я был зол как черт, когда уходил из твоего дома, но на размышления у меня была целая неделя. Трудно винить невесту за то, что она огорчается, когда в день свадьбы жениху вручают повестку в суд по делу об отцовстве. — Он невесело усмехнулся. — Прости меня, ради бога, Шелли. Проживи мы еще сто лет, я все равно не сумею искупить своей вины перед тобой.

— Ты уже искупил. Тем, что любишь меня.

— Но что-нибудь подобное может случиться еще. Как сказал судья, я уязвим для ложных обвинений и долго буду вызывать подозрения.

— Я все переживу — пока буду знать, что ты меня любишь.

— Люблю. — Он крепко прижал ее к себе.

— Грант, почему ты не сказал, что звонил и расспрашивал обо мне много лет назад?

Выпрямившись, он внимательно посмотрел на нее.

— Откуда ты узнала?

— Мама случайно проговорилась сегодня утром. Почему ты не сказал мне об этом с самого начала?

— Боялся, ты подумаешь, будто я рисуюсь или же цепляюсь за прошлое, не ценю в тебе женщину, которой ты стала. Кроме того, ты и без того переживала свой неудачный брак, и мне не хотелось, чтобы ты грустила, думая, как могло бы у нас все сложиться.

— Я всегда буду сожалеть о годах, которые мы провели порознь, сожалеть, что не сказала тебе о своих чувствах, когда уже достаточно повзрослела, чтобы понять: это не простое увлечение.

— Давай больше не будем терять времени даром, — шепнул он.

— Ты о чем?

— Ваша честь! — обратился Грант к судье, который наводил порядок на своем столе. Судья поднял глаза, удивившись, что они еще здесь. — Не окажете ли нам любезность? Пожените нас, пожалуйста!

* * *

— Ты совсем не похожа на банкира, — заметил Грант, когда Шелли вышла из душа.

— А тебе нравится мне это повторять, — озорно ответила она, брызнув ему в лицо водой.

Он отобрал у нее полотенце и бросил его на пол.

— Ладно, скажем так: я никогда еще не желал так кредитора. И никогда не испытывал непреодолимого желания сделать вот это. — Он накрыл ее грудь ладонью и осторожно погладил встрепенувшийся сосок. — А еще я никогда не видел у банкиров такого вот чудесного маленького пузика. — Другой рукой он погладил чуть заметную выпуклость ее живота.

— Не такой уж он маленький, — проворковала она, уткнувшись ему в плечо.

— Скажи-ка, а шьют ли для беременных строгие серые костюмы в полоску?

— Я не меньше твоего ненавижу строгие серые

костюмы в полоску. Никто еще не жаловался на мою одежду. Наоборот, когда мои клиентки видят женщину, сочетающую карьеру и материнство, это придает им уверенности.

Четыре месяца беременности мало изменили ее тело, разве что чуточку увеличился живот да грудь заметно налилась, что приводило в восторг будущего отца. Руки Гранта бережно ощупывали ее живот каждый день, отмечая рост малыша.

— Я уже его люблю, — сказал он, целуя ее нежную кожу. — Но не так, как люблю его маму.

— Даже после трех лет супружества?

— О, уже так долго? — Мысли Гранта были далеки от разговора: он медленно поглаживал языком ее сосок.

Шелли довольно мурлыкнула; ладонь ее скользнула за пояс его брюк.

— Ага, и я до сих пор отгоняю от тебя студенточек.

— Не-а, — выдохнул он.

— Да-да-да. И их можно понять. Я-то знаю, что такое сидеть на лекции и сгорать от любви к учителю.

— Серьезно?

— Угу.

После того как Шелли закончила университет, они переехали из Седарвуда в Талсу, где она получила место в банке. Грант начал преподавать в известном государственном колледже и через два года стал деканом кафедры политических наук и государственного права. Он был по-прежнему красив, строен и мускулист. А седина в волосах только добавляла ему привлекательности.

На первое их семейное Рождество Шелли подарила ему трубку и твидовый пиджак с замшевыми заплатами на локтях. Оглядев подарок, Грант посмотрел на Шелли с плохо скрываемым разочарованием. «Это неотъемлемые атрибуты любого профессора», — со смехом объяснила Шелли. Двадцать шестого декабря он, однако, сменил «атрибуты» на короткую кожаную куртку и джинсы в обтяжку. Шелли неохотно признала, что его выбор более удачен, однако свирепо поглядывала на каждую женщину университета, которая осмеливалась открыто восхищаться сексапильностью Гранта.

Время от времени всплывали отголоски давнего вашингтонского скандала, но подробности постепенно стирались из людской памяти. Грант был счастлив всем, чего добился. Тени прошлого мало могли повлиять на уважение, которое он к себе снискал. Более того, ему предложили баллотироваться в законодательное собрание штата.

— Ты сам-то этого хочешь? — спросила обрадованная Шелли, когда он рассказал ей о разговоре с членами выборного комитета.

— Я не прочь поучаствовать в политической жизни на местном, а то и на государственном уровне. Возможно, если мы внесем в государственную политику немного честности и прямоты, поубавится грязи, которой я навидался в Вашингтоне.

Грант все еще размышлял над этим предложением, она же ясно дала понять, что, каким бы ни было его решение, она его поддержит. Жизнь Шелли была яркой и полной. Словно и не было лет, проведенных с Дэрилом, который, как они прочли из газет, уже развелся со второй женой.

Ее жизнь началась в тот день, когда Грант Чепмен пригласил ее на чашку кофе после своей лекции. Или же — в тот день, когда он впервые поцеловал ее, шестнадцатилетнюю школьницу. А все годы, разделявшие эти два события, давно уже изгладились из ее памяти.

Теперь же, когда Грант обнял ее, Шелли вложила всю свою любовь в страстный поцелуй.

— Шелли, раз уж ты ведешь себя совсем не так, как подобает сдержанному банкиру, я, пожалуй, расстегну джинсы.

— Почему бы тебе их не снять? — вкрадчиво предложила она.

Смеясь, Шелли стала расстегивать пуговицы на его рубашке, а сам он, быстро расстегнув «молнию» на джинсах, ловко сбросил с себя всю одежду.

— Есть какие-нибудь еще идеи? — шепнул он ей на ухо, скользнув ладонью меж ее бедер.

— Угу. — Она прижалась к нему всем телом.

Выдохнув ее имя, Грант подхватил жену на руки и отнес в спальню. Осторожно опустив на постель, прилег рядом. Шелли уткнулась лицом в темную курчавую поросль на его груди, легонько провела по ней языком.

— Шелли... ты... такая... чудесная...

Она подняла голову, нашла его губы, и они

слились с ним в головокружительном поцелуе. У нее перехватило дыхание, мысли смешались. Каждая частичка ее тела отвечала на малейшие прикосновения Гранта.

Он положил ладони на ее груди, чуть приподнял их и стал нежно целовать потемневшие соски.

— Грант, о, Грант, — простонала Шелли в упоении.

— Ты помнишь, как я любил тебя в первый раз, — прошептал он. — Помнишь?

— Да, да, помню! — воскликнула она, чувствуя, что погружается в блаженное забытье. — Помню...

**В ИЗДАТЕЛЬСТВЕ «ЭКСМО-ПРЕСС»
ВЫХОДИТ ИЗ ПЕЧАТИ РОМАН
САНДРЫ БРАУН
«ВТОРАЯ ПОПЫТКА»**

*В жаркий августовский день на без-
людном шоссе у Ли Брэнсом внезапно начались роды. Сама судьба послала ей на
помощь Чеда Диллона. Он помог малышке появиться на свет и, гордый выпол-
ненной миссией, простился с новой зна-
комой, как ему казалось, навсегда...*

Сандра Браун

ВТОРАЯ ПОПЫТКА

Роман

ГЛАВА 1

— Что случилось, мэм? Могу я вам помочь?

Ли Брэнсом увидела мужчину только тогда, когда он постучал в стекло ее машины. Терзаемая сильной болью, молодая женщина не замечала ничего вокруг. На звук его голоса она подняла голову, с трудом оторвав руки от руля, в который она непроизвольно вцепилась, и снова застонала. Мужчина, готовый прийти ей на помощь, не был похож на спасителя в сверкающих рыцарских доспехах.

— С вами все в порядке? — снова спросил незнакомец.

Нет, с Ли совсем не все было в порядке, но ей не хотелось признаваться в этом незнакомцу — грубоватому на вид мужчине. Он вполне мог оказаться преступником, а на пустынном шоссе в этот жаркий августовский день, кроме них двоих, не было ни одной живой души. Мужчина футов шести ростом был не слишком-то опрятен, его рубашка была в пятнах грязи и потеках пота. Широкий ремень с латунной пряжкой с гербом Техаса оказался как раз на уровне глаз Ли, когда незнакомец наклонился к дверце, чтобы взглянуть на женщину. Вытертые джинсы и клетчатая рубашка с короткими рукавами не скрывали мускулистой мощной фигуры. Видавшая виды ковбойская шляпа отбрасывала мрачную тень на его лицо. Пытаясь справиться с приступом боли, Ли ощутила, как страх холодной рукой сдавил ей сердце.

«Если бы не эти его темные очки, я бы по крайней мере смогла увидеть выражение его глаз», — подумала она.

Словно угадав ее мысли, мужчина снял очки, и на Ли взглянули невероятно синие глаза, каких ей еще никогда не доводилось видеть. Она не заметила в них ни опасности, ни неприязни, и у нее отлегло от сердца. Мужчина, конечно, выглядит невероятно грязным, но определенно не кажется опасным.

— Я не причиню вам вреда, мэм. Я только хотел узнать, не могу ли я вам помочь. — Ли услышала искреннюю заботу в голосе «ковбоя», который, как и его глаза, внушали удивительное доверие.

Новая схватка опоясала ее словно огненный обруч. Ли закусила губу, пытаясь сдержать вопль боли, и сжалась в комок, снова уронив голову на руль.

— Черт побери, — услышала она встревоженное восклицание, и дверца мгновенно распахнулась. Мужчина увидел огромный живот Ли и присвистнул сквозь зубы. — Каким ветром вас занесло сюда одну да еще в таком положении? — изумился он и швырнул свои очки на приборную доску малолитражки.

Ли тяжело дышала, пытаясь сосчитать секунды, которые длилась схватка. Вопрос незнакомца был явно риторическим, он и не ждал от нее ответа. Он положил горячую сухую руку на ее холодное, влажное от пота плечо.

— Не тужьтесь пока, хорошо? Дышите спокойнее. Так лучше? — спросил он, когда Ли глубоко вздохнула и откинулась на сиденье.

— Да, — выдохнула она. Женщина на мгновение закрыла глаза, чтобы собраться с силами и с достоинством взглянуть на незнакомого мужчину, оказавшегося рядом как раз в тот момент, когда у нее начались роды. — Спасибо.

— Черт побери, да я еще ничего и не сделал. Чем вам помочь? Куда вы ехали?

— В Мидленд.

— И я направлялся туда же. Хотите, я вас туда отвезу?

Ли быстро, опасливо покосилась на него. Мужчина поставил ногу на подножку ее машины, его бедро оказалось между Ли и дверцей, одна загорелая рука лежала на спинке сиденья, другая — на руле. Но теперь, когда темные очки не скрывали его синих глаз, Ли увидела в них сострадание. И если верна пословица, утверждающая, что глаза это зеркало души, то она вполне могла доверять этому человеку.

— Я... Я думаю, что так и в самом деле будет лучше.

— Пожалуй, я поведу вашу машину, а свой грузовичок оставлю тут... О господи, неужели опять?

Ли почувствовала приближение схватки еще до того, как боль захлестнула ее. Она обхватила руками живот и постаралась глубоко дышать, заставляя себя расслабиться и контролировать ситуацию. Когда боль отпустила ее, она тяжело осела на сиденье.

— Мэм, до Мидленда еще около сорока миль. Нам туда не успеть. Когда у вас начались схватки? — мужчина говорил мягко, спокойно.

— Я остановила машину сорок пять минут назад. У меня и до этого были боли, но я решила, что это по другой причине.

Его красиво очерченные яркие губы чуть дрогнули в улыбке, и Ли заметила морщинки в уголках глаз, которые возникают от частого смеха.

— И никто не остановился, чтобы помочь вам?

Ли покачала головой:

— Мимо проехали только две машины, но они, увы, даже не сбавили скорость.

Мужчина оглядел ее серебристо-синюю, под цвет глаз хозяйки, малолитражку и спросил:

— Вы сможете идти? Если нет, то я вас понесу.

Куда это он собрался ее нести? Мужчина прочитал этот вопрос в ее глазах.

— Вы можете лечь в кузове моего пикапа. Это, конечно, не родильная палата, но малышу там понравится, тем более что ничего лучшего он не видел.

На этот раз он улыбнулся по-настоящему. Сверкнули белоснежные зубы. Лучики морщинок казались очень светлыми на загорелой коже. И Ли поняла, что при других обстоятельствах она бы нашла это лицо очень привлекательным.

— Думаю, что я смогу идти. — Она начала поворачиваться на сиденье, и мужчина предусмотрительно сделал шаг в сторону. Когда Ли встала, его крепкая рука обхватила ее когда-то такую тонкую талию. Она с благодарностью прижалась к нему.

Медленно, осторожно они двинулись по шоссе. Удушливая жара горячими волнами налетала из восточных районов Техаса. Ли едва могла вдыхать раскаленный воздух.

— Держитесь. Осталось совсем чуть-чуть. — Его дыхание коснулось ее влажной щеки.

Ли сосредоточила все внимание на ногах. Длинноногий мужчина довольно забавно пытался подладиться под ее короткие, неуверенные шаги. Пыль от засыпанной гравием обочины поднималась клубами, покрывая и ее пальцы с отличным педикюром в открытых сандалиях, и потрескавшуюся кожу его видавших виды ковбойских сапог.

Пикап оказался таким же грязным, как и его владелец, и был покрыт тонким слоем пыли. Некогда окрашенная в бело-голубой цвет машина словно вылиняла под ярким солнцем, проливными дождями и ветрами Техаса и теперь приобрела скорее серовато-бежевый оттенок. Перед ней был настоящий драндулет, но Ли с облегчением заметила, что на бампере не оказалось никаких непристойных или угрожающих надписей.

— Обопритесь на машину, пока я открою кузов, — велел ей мужчина, прислоняя Ли к бортику машины. Стоило ему только отойти, как новая схватка чуть не свалила ее с ног.

— Ой! — крикнула Ли, инстинктивно потянувшись к мужчине.

Его рука обхватила ее за плечи, а мозолистая ладонь поддержала напрягшийся живот снизу.

— Хорошо, хорошо, я рядом, не волнуйтесь.

Ли спрятала лицо у него на груди, пока схватка раздирала ее надвое. Казалось, она никогда не кончится, но наконец боль стала затихать. Ли услышала собственное подвывание.

— Вы можете стоять?

Она кивнула.

Звяканье, шум металла, и вот он уже вернулся к ней и, нежно поддерживая, подвел к задней части пикапа. Ли села, прислонившись спиной к стенке, пока мужчина торопливо расстилал на полу брезент. Он тоже не выглядел чистым, но казался все-таки лучше, чем проржавевшее днище. Мужчина негромко выругался и что-то укоризненно сказал себе под нос, разворачивая зеленое армейское одеяло.

— А теперь ложитесь. — Он помог Ли, придерживая ее за плечи. — Так вам будет удобнее.

И Ли в самом деле почувствовала, что ей стало удобнее на ровной твердой поверхности. Ей было неважно, что одеяло было горячим. Ее тело покрылось потом, и открытое летнее платье стало влажным и противно липло к коже.

— Вы ходили на специальные занятия, где учат дышать и тому подобное?

— Да, правда, не так регулярно, как собиралась, но кое-чему я научилась.

— Делайте все, что вспомните, — убежденно сказал «ковбой». — В вашей машине есть что-нибудь, что может пригодиться?

— У меня есть спальный мешок. В нем хлопковая ночная рубашка. В отделении для перчаток есть коробка косметических салфеток «Клинекс». — Ее мать могла бы гордиться своей дочерью, с горечью подумала Ли. Сколько она себя помнила, Лоис все время твердила ей, что у настоящей леди всегда должен быть при себе бумажный носовой платок.

— Я сейчас вернусь.

Мужчина перепрыгнул через борт пикапа, и Ли невольно отметила про себя, с какой ловкостью он двигается несмотря на высокий рост и внушительные размеры. Когда он снова предстал перед ней, ее ночная рубашка свисала с его плеча словно тога римлянина. Он протянул ей коробку с косметическими салфетками.

— Эту газету я купил только сегодня утром. Как-то раз я видел в кино, что газеты могут пригодиться при родах. Что-то там такое говорили, будто на них нет бактерий. В любом случае, может быть, вам захочется подстелить ее... гм... вниз. — Мужчина протянул Ли сложенную непрочитанную газету, быстро повернулся к ней спиной и снова спрыгнул с машины.

Ли сделала так, как он ей сказал, сгорая от стыда. Но ее смущение немедленно исчезло, сметенное новой волной боли. Мужчина тут же оказался рядом, встал на колени возле нее и взял ее ладонь в свои.

Женщина дышала и смотрела на часы на его левом запястье. Они были из нержавеющей стали со множеством делений и очень громко тикали. Дорогой, сложный механизм никак не вязался с заляпанными грязью ковбойскими сапогами и грязной одеждой. Взгляд Ли остановился на длинных тонких пальцах незнакомца, и она увидела, что обручального кольца он не носит. Неужели ее ребенка примет мужчина, который не только не был доктором, но которому к тому же не доводилось становиться отцом?

— Вы женаты? — спросила Ли, когда боль чуть отпустила.

— Нет. — Мужчина снял ковбойскую шляпу и бросил на пол. Волосы у него оказались темными и длинными.

— Тогда эта ситуация должна быть для вас просто ужасной. Простите, что так получилось. Я очень сожалею.

— Да что там! Мне приходилось бывать в переделках и посложнее.

Он одобряюще улыбнулся ей, сунул руку в задний карман джинсов, достал косынку-бандану и повязал ее, чтобы пот не заливал ему глаза. И Ли с изумлением увидела, насколько мужчина красив. Он расстегнул рубашку, пытаясь хоть как-то спастись от жары. На загорелой груди вились мягкие темные волосы. Чувственные губы крупного рта были приоткрыты, ровные зубы были ослепительно белы.

Мужчина достал салфетку и вытер пот со лба Ли.

— Только в следующий раз выбирайте денек попрохладнее, — поддразнил он женщину, пытаясь вызвать ее улыбку.

— Это все Дорис Дэй, — сказала Ли.

— Не понял?

— Был такой фильм с Дорис Дэй в главной роли. Джеймс Гарнер играл роль ее мужа. В фильме он был акушером. Арлен Фрэнсис рожала в «Роллс-Ройсе», а Дорис Дэй помогала ему принимать ребенка.

— Это тот самый фильм, в котором он въехал на своей машине прямиком в бассейн?

Ли рассмеялась.

— Точно!

— Кто бы мог подумать, что этот фильм станет учебным пособием? — мужчина вытер салфеткой шею Ли.

— Как вас зовут?

— Чед Диллон, мэм.

— А я Ли Брэнсом.

— Рад познакомиться, миссис Брэнсом.

Когда началась следующая схватка, было уже не так ужасно, потому что умелые руки Чеда массировали ее вздувшийся болезненный живот. Схватка не прекращалась, и Чед сказал:

— По-моему, уже скоро. Какая удача, что у меня в кабине есть термос с водой. Я смогу вымыть руки.

Он принес воду и тщательно смыл грязь с рук.

— Чем вы сегодня занимались? — тактично поинтересовалась Ли, пытаясь выяснить, где он сумел так перемазаться.

— Я возился с мотором самолета.

Так, значит, он механик. Забавно, а ей не показалось, что он так уж силен в технике...

— Вам лучше снять нижнее белье, — мягко сказал Чед.

Ли закрыла глаза. Ей было стыдно смотреть на него. Если бы только Чед не был таким привлекательным мужчиной, может быть, она бы не так смущалась.

— Не стоит меня стесняться. Раз уж так все вышло, мы должны помочь ребенку появиться на свет — это главное.

— Простите, — пробормотала Ли. Она подняла платье. Из-за жары она не стала надевать лифчик и колготки, так что ей нужно было снять только трусики. С помощью Чеда она избавилась от них.

— Может быть, вам будет лучше без сандалий? — спросил он.

— Нет, они не мешают, Чед... — И Ли снова вскрикнула от боли.

Он быстро наклонился:

— Я вижу головку, — с довольным смешком

объявил Чед. — Что вы теперь должны делать, мэм? Тужиться или как это называется?

Тяжело дыша, Ли тужилась изо всех сил.

— Очень хорошо, — подбадривал ее Чед. — Вы отлично справляетесь, мэм. — Его низкий, спокойный голос лился словно бальзам на ее истерзанные внутренности. — Уже очень скоро, Ли. — Чед снова вытер ей пот салфеткой. Бандана, которую он повязал, тоже промокла от пота. Тыльной стороной руки он вытер переносицу. Волосы на груди завились колечками.

Он быстро достал складной нож из кармана, вымыл его водой из термоса, а потом отрезал тоненькую бретельку от ночной рубашки Ли.

— Вы просто удивительная женщина, вы знаете об этом? Многие бы сейчас орали во все горло и проклинали бы весь белый свет. Вы самая отважная женщина из всех, кого мне доводилось встречать.

«Нет, нет, никакая я не отважная!» — хотелось крикнуть Ли. Он не должен считать ее такой. Она обязана рассказать Чеду, какая она на самом деле трусиха. Но Ли не успела произнести ни слова, Чед заговорил снова:

— Ваш муж будет вами гордиться.

— У... У меня нет мужа, — пролепетала она сквозь стиснутые зубы, потому что боль снова не давала ей дышать.

Чед в изумлении уставился на нее, но искаженные мукой черты ее лица встревожили его. Он посмотрел вниз, и его глаза засияли от радости.

— Вот так, просто замечательно. Еще чуть-чуть. Головка вышла, — воскликнул он. — Давайте, Ли, вы отлично справляетесь. Сейчас появятся плечики. Вот и они. Все! Слава богу! — Его умелые руки приняли новорожденного, который тут же захныкал. — Ну-ка посмотрим, кто тут у нас. Ага, замечательная красивая девочка!

Слезы облегчения текли по щекам Ли. Она смотрела на склонившегося над ней мужчину.

— Я хочу взглянуть на нее, — еле выговорила она. — С ней все в порядке?

— Она... Она само совершенство, — с гордостью сказал Чед. — Одну минуту, я только перевяжу пуповину. — Ли почувствовала, как крошечные кулачки и пятки колотят ее, когда Чед положил ребенка ей на живот. — Как вы себя чувствуете? — с тревогой спросил он через мгновение. Он не поднимал головы, полностью сосредоточившись на том, что делает. На носу у него повисла капелька пота.

— Я чувствую себя замечательно, — устало отозвалась Ли.

— Вы и выглядите замечательно.

Наклонившись над ней, Чет промокнул рукавом рубашки пот на ее лице. Наконец он поднял красного, мокрого, извивающегося, попискивающего младенца и приложил к груди Ли.

— О, Чед, спасибо. Господи, она же настоящее чудо!

— Да, она прелесть! — его голос прозвучал напряженно.

Выражение нежности в ее глазах снова сменилось выражением боли. Она снова почувствовала тянущую боль и застонала.

— Вот теперь все в порядке. — Чед завернул послед в газету.

— Да.

Острый нож резал тонкую ткань ночной рубашки. Малышка попискивала у ее груди. Ли больше не ощущала жары. Она чувствовала только хрупкое тельце ребенка, которое прижимала к себе. Ее пальцы легко касались тельца малютки. Она пересчитала пальчики на ручках и ножках, поцеловала родничок на голове дочки. Ее дочь! Ли, потрясенная и счастливая, пыталась осознать, что это крохотное, но совершенное создание вышло из ее тела.

Чед положил прокладку из ночной рубашки между ног Ли и закрепил самодельным поясом на талии.

— Так странно, что у меня больше нет огромного живота, — удивленно сказала она.

Чед хмыкнул:

— Вам повезло, что все прошло так быстро. Ну как, теперь вам полегче? Ничего не болит?

Только сейчас Ли ощутила пульсирующую боль в спине.

— Нет-нет, все в порядке, — торопливо ответила она, но поняла, что обмануть Чеда ей не удалось.

— Я должен доставить вас обеих в больницу, и

как можно быстрее, — Чед словно разговаривал сам с собой.

Он надел на нее платье и смущенно протянул смятые трусики.

— Если вы возьмете малышку на руки, я смогу понести вас. — Он осторожно подхватил женщину под колени и под спину. Через несколько секунд Ли уже сидела на пассажирском сиденье своей малолитражки. Она задыхалась от духоты.

Чед обежал машину кругом, уселся за руль и завел мотор.

— Кондиционер очень быстро охладит воздух, — успокоил он. — Я бы лучше отвез вас на своей машине, но в ней вас будет сильно трясти. И потом, там полно всякого хлама.

— Все отлично, но как вы потом заберете ваш пикап?

— Это меня не слишком волнует. Но, впрочем, посидите минутку, я все-таки его закрою.

Чед и в самом деле вернулся через минуту. Он долго усаживался, пытаясь пристроить свои длинные ноги.

— Это сиденье отодвигается назад? — спросил он.

— Да.

Чед нашел нужный рычаг, а потом отклонил немного назад спинку сиденья Ли.

— Думаю, так вам будет комфортнее.

Удостоверившись, что женщине и ребенку удобно, он снова надел свои черные очки. Ковбойская соломенная шляпа осталась в грузовичке, зато бандана по-прежнему красовалась у него на голове. Правда, пуговицы на рубашке он застегнул.

— Чед, будьте добры, передайте мне мою сумку с заднего сиденья. Надо, наверное, во что-то завернуть малышку.

— Разумеется, — ответил он, покосившись на голенькое тельце новорожденной. Протянув руку назад, он достал маленький чемоданчик и передал его Ли. — Устроились? Всем удобно?

— Спасибо, все нормально.

Ли улыбнулась ему, и Чед одобряюще улыбнулся ей в ответ. Ей показалось, что он хотел что-то сказать, но передумал. Маленькая машина, преодолев каменистую обочину, выехала на шоссе. От тряски вернулась тупая боль, и Ли закусила губу.

— Прошу прощения. Я знаю, что вам больно. Но мне показалось, что у вас не слишком сильное кровотечение. Я думаю, все будет хорошо, как только вам окажут необходимую помощь.

Ли порылась в сумке и нашла свою старенькую мягкую футболку. В нее она и завернула девочку.

— Хорошо, что я взяла ее с собой, — удовлетворенно заметила она.

— Откуда вы едете, вернее, куда направляетесь?

— Я была в Абилине. Вчера вечером состоялась свадьба моей подруги — бывшей сокурсницы. Я взяла свое лучшее платье для беременных, чтобы надеть на свадьбу. — Ли кивком указала на пакет с платьем, висевший на крючке у заднего сиденья. — Но я знала, что, когда мы все собираемся вместе, праздник очень быстро превращается в «ночной девичник». Так что я захватила с собой и вещи попроще, чтобы чувствовать себя уютно.

Чед с усмешкой взглянул на оранжевую футболку с маркой техасского университета, в которую Ли завернула девочку.

— Это была рука Провидения. — Потом он снова стал серьезным. — Но вы здорово рисковали, когда пустились в путь в одиночестве. Когда вы ожидали появления ребенка?

— Не раньше чем через две недели. Но вы правы. Я сама напрашивалась на неприятности. Мне так хотелось попасть на эту свадьбу, но со мной некому было поехать, так что... — Она не договорила.

— Почему вы не остались на автостраде Ай-двадцать? Она ведет от Абилина прямо до Мидленда.

— Я завозила домой подругу, которая тоже была на свадьбе. Она живет в Тарзане. Мне ужасно хотелось увидеть город Тарзан в штате Техас. Представляете, какая экзотика?

— Ну и как вам показался город?

— Ничего особенного, можно было и не заезжать. Схватки начались совершенно неожиданно, уже после того, как я оттуда уехала.

Чед чертыхнулся, но не зло.

Ли посмотрела на свою крохотную дочку.

— Я только молю бога, чтобы с девочкой все было в порядке.

— С легкими у нее определенно все в порядке, — засмеялся Чед. Малышка громко плакала. Личико у нее покраснело, крохотные ручки и ножки били мать.

Ли забеспокоилась, что этот крик будет действовать Чеду на нервы, и опасливо взглянула на него. Но он полностью сосредоточился на дороге, хотя на шоссе не было ни единой машины. «Что было бы со мной и моим ребенком, если бы Чед проехал мимо, как и все остальные?» — подумала Ли, перекладывая ребенка поудобнее.

До Мидленда оставалось еще больше двадцати миль, когда малышка раскричалась не на шутку. Ли посмотрела на Чеда. Тот встретился с ней взглядом. Он остановил машину прямо посередине пустынной дороги.

— Что мне делать? — встревоженно спросила Ли. Но что может этот мужчина знать о детях? Ведь он даже не женат. И все-таки она повернулась к нему, словно только он мог подсказать ей ответ.

Чед почесал в затылке, убрал со лба выгоревшую прядь волос.

— Не знаю... А может, вам следует покормить ее?

Ли была благодарна тому, что неяркий свет лиловых сумерек скрыл краску смущения на ее щеках.

— У меня еще несколько дней не будет молока...

— Я знаю, но может быть, все-таки вы дадите

ей грудь... Ну, чтобы она успокоилась... — Чед пожал плечами.

Девочка запищала громче. Голубые ниточки вен на головке проступили отчетливее, крохотные кулачки толкались в грудь матери. Чед сам принял решение. Он решительно протянул руку, спустил бретельку платья с плеча Ли. Не в силах взглянуть на него, женщина дернула плечом, ткань упала, обнажая грудь. Поддерживая грудь одной рукой, она поднесла сосок к сердитому личику дочери. С удивительной точностью крохотный ротик жадно обхватил коричневый сосок.

И вдруг Ли и Чед одновременно рассмеялись. Девочка шумно, жадно сосала. Когда Ли взглянула на Чеда, тот смотрел не на ребенка, а на нее. И этот взгляд прервал ее смех.

В глазах Чеда светилось такое восхищение, что женщина поняла, что даже такая — растрепанная, измученная, полураздетая — она кажется ему красивой. И слова Чеда подтвердили это.

— Ли, вам очень идет материнство, — серьезно сказал он. — Вы удивительно красивы. Ваши чудесные каштановые волосы, сине-серые глаза, которые цветом напоминают грозовые тучи, ваш рот, мягкий и розовый, как у вашей малютки, и особенно выражение вашего лица, когда вы смотрите на дочь... Вы напоминаете мне мадонну с картин итальянских мастеров пятнадцатого века. Только вы такая живая, естественная. — Чед не сводил с нее одобрительного взгляда.

Ли пристально смотрела на Чеда. Как только

ей могло прийти в голову, что этот мягкий, внимательный человек может представлять для нее угрозу? Она ведь сначала разглядела только грязную одежду, щетину на подбородке, струйки пота на щеках. Но эта нежность в его глазах... Его руки, пусть и покрытые мозолями, оказались уверенными, сильными и ласковыми. Но тут Ли вспомнила, какой он видел ее, и в смущении опустила длинные темные ресницы.

Она смотрела на девочку, когда увидела, что рука Чеда протянулась к ее ребенку. Ли затаила дыхание. Длинный тонкий палец дотронулся до бархатистой щечки, погладил, коснувшись при этом и белоснежной груди Ли.

— Как вы собираетесь ее назвать?

— Сара, — без колебаний ответила Ли.

— Мне нравится это имя.

— Правда? — удивилась Ли и снова посмотрела на него. — Так звали мою свекровь. Она была замечательной женщиной. Сара Брэнсом всегда относилась ко мне как к дочери.

Чед так быстро убрал руку, словно обжегся.

— Мне казалось, вы говорили, что вы не замужем.

— Да, теперь я не замужем. Я вдова. Моего мужа убили.

Чед молчал, глядя вперед — на дорогу, на заходящее солнце — красный диск в конце автострады.

— Простите, Ли, — сказал он. — Как давно это случилось?

— Восемь месяцев назад. Он даже не знал, что

я беременна. Муж работал в отделе по борьбе с наркотиками. Его убили во время рейда. У его матери было слабое сердце, и она ненадолго пережила сына. Но именно моя свекровь помогла мне справиться с болью утраты, поддержала в первые, самые трудные недели, хотя ей и самой было очень тяжело. Грег был ее единственным сыном, она так его любила!

Чед подавил тяжелый вздох. Он снова посмотрел на девочку. Она спала, лишь иногда делая сосущее движение ротиком, напоминающим розовый бутон.

— Я думаю, что несмотря на все, что случилось, вашей свекрови повезло с вами, — пробормотал он и снова завел мотор. — Она бы гордилась вами, — добавил Чед чуть громче, перекрывая шум мотора.

Потом Ли задремала. Она проснулась только тогда, когда Чед уже подъезжал к больнице. Он несколько раз нажал на клаксон, потом остановил машину. Повернувшись к Ли, он взял у нее девочку.

— Вам лучше будет поправить платье, — коротко сказал он. Ли торопливо поправила бретельку. Чед вернул ей ребенка. — Ждите здесь, я сейчас. — И он вышел из машины.

Через минуту перед ней предстал совсем другой Чед Диллон, как генерал, отдающий приказы засуетившимся санитарам и сестрам, выбежавшим на шум. Дверца машины распахнулась, у Ли забрали ребенка. Потом ее саму уложили на каталку. Во время путешествия от машины до смотровой у нее закружилась голова и ее затошнило. Ее переложили на стол, ноги положили на холодные металлические стойки.

Где ее ребенок? Ей больно. Почему кровь течет у нее по бедрам? Откуда они знают ее имя? Ей больно, когда ее щупают и осматривают. Кто этот доктор, уговаривающий ее не волноваться? Зачем ей делают укол?

Где же Чед?

Чед...

— Ли?

Ей очень хотелось спать. Она с трудом открыла слипающиеся глаза. В комнате было темно. Когда Ли пыталась пошевелить ногами, в промежности возникало странное, болезненное, тянущее ощущение. Лицо горело, кожу пощипывало. Постепенно Ли сообразила, что чья-то ласковая рука нежно убирает со лба ее волосы. Она чувствовала себя так, словно ее избили. Ли заставила себя поднять веки и увидела перед собой красивое встревоженное лицо Чеда Диллона.

— Ли, я ухожу. Жаль было будить вас, но я уезжаю, вот зашел попрощаться.

— Где Сара?

— С ней все хорошо, — улыбнулся Чед. — Я только что видел ее. Она пока лежит в кювезе, но меня заверили, что девочка крепкая и здоровая. С легкими никаких проблем. Все отлично.

Ли на мгновение закрыла глаза, чтобы поблагодарить бога.

— Когда я ее увижу?

— Когда вы отдохнете как следует. Вам досталось, бедняжка! — Теплая ладонь Чеда на мгновение коснулась щеки Ли.

Смущенная и растерянная, женщина обвела глазами палату и увидела огромный букет желтых роз на столике в ногах кровати.

— Цветы? — Она вопросительно посмотрела на Чеда.

— У молодой матери обязательно должны быть цветы.

На глаза Ли навернулись слезы, хотя она изо всех сил старалась не расплакаться. Эти розы наверняка стоили целое состояние, а Чеду, судя по всему, даже новые сапоги были не по карману.

— Спасибо. Мне ужасно приятно, Чед, но не стоило тратиться. Мне так неловко, но если бы не вы... — Ли умолкла, пытаясь справиться с волнением.

Чед смущенно, как мальчишка, опустил голову.

— Врач, который вас осматривал, позвонил вашим родителям в Биг-Спринг. Я нашел их адрес и номер телефона в вашем бумажнике. Помните, у вас есть карточка «Звонить при несчастном случае»? Они уже едут сюда. Я сказал врачу, где поставил вашу машину. Ключи у старшей сестры. Благодаря вашему страховому полису вас с Сарой без всяких проблем приняли в этой больнице. Ваш лечащий врач навестит вас утром, но мне сказали, что вы нуждаетесь только в отдыхе. Я не думаю, что причинил вам слишком большой вред. Как вы себя сейчас чувствуете?

— Так, словно я родила ребенка в кузове пикапа. — Ли попыталась улыбнуться. — И у меня горит лицо.

Чед усмехнулся:

— Оно обгорело на солнце.

— Серьезно?

— Вполне. Хотите смазать кожу лосьоном? Сестра оставила флакон на тумбочке.

— Это вас не затруднит? — Вопрос был совершенно идиотским, учитывая то, что Чед уже для нее сделал, и выражение его лица было весьма красноречивым.

Он налил немного лосьона на ладонь, а потом пальцем другой руки аккуратно смазал обожженные лоб, нос и скулы Ли. Его прикосновение было таким мягким, пальцы скользили по лицу Ли, равномерно нанося прохладную жидкость. Его глаза следовали за его рукой. Брови, скулы, подбородок, нос — он внимательно рассмотрел все, пока мазал кожу лосьоном. Его палец чуть тронул уголок ее губ. Он застыл, их взгляды встретились. У Ли замерло сердце и забилось только тогда, когда Чед двинулся дальше. Он закончил очень быстро.

— Теперь, кажется, полегче, — констатировала Ли, пока Чед закручивал крышку на флаконе. Ли сама удивлялась своему волнению. Откуда вдруг столько эмоций? Неужели все матери так чувствительны? Ей вдруг отчаянно захотелось заплакать.

— Рад был оказать вам услугу, мэм, — весело улыбнулся Чед, но его слова прозвучали странно торжественно.

Ли увидела, как дрогнули его губы, но, возможно, ей это только показалось.

— Вы были... — Она судорожно глотнула, пытаясь избавиться от комка в горле. — Я просто не представляю, что бы я стала делать без вас. Спасибо вам, Чед.

— Спасибо вам, Ли, за то, что вы доверились мне. Я желаю вам и Саре всего наилучшего. — Чед выпрямился, развернулся и сделал несколько шагов к двери, потом вдруг остановился. Он резко нагнул голову, словно кто-то ударил его. Мужчина пристально рассматривал кафельный пол, словно ответ на мучивший его вопрос был написан там. Вдруг он стремительно повернулся и мгновенно преодолел разделявшее их расстояние.

Он снова нагнулся к Ли, опираясь о кровать сильными руками.

— Ли, — позвал он ее и прижался губами к ее губам. Нежно, неторопливо Чед поцеловал ее. А потом он стремительно пересек пространство до двери и исчез во тьме больничного коридора. Дверь закрылась.

Из глаз Ли хлынули слезы, и она уткнулась в жесткую больничную подушку, пытаясь не разрыдаться в голос. Господи! Да что же с ней такое делается?!

ГЛАВА 2

— Ты уверен, папа? Чед Диллон. Ты проверил как следует?

— Да, Ли. Я попросил оператора проверить все, но она клянется, что такого человека нет в телефонном справочнике.

Сидя в кровати у себя дома, Ли недоуменно нахмурилась.

— Я хотела как-то отблагодарить его. Но мне и в голову не пришло спросить его адрес или номер телефона.

— А ты уверена, что он живет в Мидленде? — спросила Лоис Джексон, явно удивленная стремлением своей дочери во что бы то ни стало найти человека, который месяц назад помог ей при рождении ребенка, а потом словно сквозь землю провалился.

Ли задумалась, ее глаза потемнели.

— Теперь, когда ты об этом сказала, я уже не так в этом уверена. Он просто сказал, что едет в Мидленд. Чед ни разу не упомянул о том, что живет здесь.

— Что ж, возможно, именно поэтому ты и не можешь его найти. — Лоис выпрямилась и тяжело вздохнула. — Я буду всю жизнь благодарна этому человеку за то, что он помог появиться на свет нашей Саре. — Она восхищенно посмотрела на колыбельку в другом конце комнаты, где мирно посапывала малышка. — Но мне кажется, он не из нашего круга.

Ли едва справилась с собой. Она изо всех сил старалась не реагировать на снобизм матери, но ее плохо скрытое пренебрежительное отношение к Чеду, учитывая то, что он буквально спас и саму Ли, и Сару, казалось ей верхом неблагодарности.

— Мама, да какое мне дело, принадлежит ли он к нашему кругу или нет. Я только хотела поблагодарить его. Он явно нуждался в деньгах.

На мгновение ее мысли снова вернулись к Чеду. Ли вспомнила, как он склонялся над ней, как держал ее за руку, пока схватки разрывали ее на части. У него были такие синие глаза, необычные при такой смуглой коже и таких темных волосах. Он был сильным, мужественным и удивительно нежным. Говорил он, как человек, получивший образование. Чед даже сравнил Ли с мадонной с картин итальянских мастеров.

Акушер в больнице говорил об аккуратности и добросовестности Чеда. Ли вспомнила о газете, о влажных салфетках, которыми он протирал ей лицо и шею, о его предусмотрительности и доброжелательности.

Но получалось так, что Ли никак не могла отблагодарить Чеда, потому что его невозможно было разыскать. Чеду Диллону суждено остаться неразгаданной тайной, и это огорчало молодую женщину. Все чаще и чаще она ловила себя на том, что думает об этом человеке, так своевременно и неожиданно возникшем на ее пути.

Она тяжело вздохнула. Родители восприняли

ее огорчение как признак утомления и забеспокоились.

— Отдохни, Ли, — сказал отец. — Пойдем, Лоис, пусть девочка поспит.

— Возможно, нам не следует уезжать завтра? Саре ведь всего месяц. Может быть, ты хочешь, чтобы мы пожили у тебя еще немного?

— Нет, — резко ответила Ли, но тут же смягчила свой отказ. — У меня все в полном порядке. Честное слово. Вы и так провели со мной целый месяц. Вы же видите, Сара просто образцовый ребенок. Она не просыпается по ночам. И я, надеюсь, смогу брать ее с собой на работу на те несколько часов, когда там требуется мое присутствие. Мы отлично с ней справимся. И потом от Биг-Спринга до Мидленда не так далеко, и вы сможете приезжать, когда захотите.

Глаза Лоис наполнились слезами.

— Я просто не могу поверить, что все это случилось именно с тобой, Ли. Почему Грег позволил себя застрелить? Почему ты осталась одна в двадцать семь лет, вдовой с ребенком на руках? Я так просила тебя переехать к нам после гибели Грега. Ты жила бы дома, с нами, и тогда моя внучка не родилась бы на обочине автострады. Ты сама навлекаешь на себя несчастья.

И Лоис разрыдалась. Харви Джексон обнял жену и вывел из комнаты. У порога он обернулся к дочери:

— Постарайся уснуть, Ли. Отдыхай и набирайся сил, пока мы здесь.

За родителями закрылась дверь, и Ли с облегчением откинулась на подушки. Временами она забывала о своем положении. И всякий раз какая-нибудь особа, побуждаемая, конечно же, самыми благими намерениями, как ее мать, например, напоминала ей об этом.

Иногда она так остро ощущала боль от внезапной гибели Грега, что ее почти невозможно было вынести. Ли всегда боялась, что его могут убить. У нее даже было дурное предчувствие, что так оно и случится и что смерть только ждет удобного момента. Но Ли оказалась неготовой к реальности, к внезапному и непоправимому — убийству мужа. Наверное, к страшному нельзя привыкнуть, нельзя заранее избавить себя от боли.

Вечером, как раз перед тем, как Грег погиб, они поссорились.

— Куда ты на этот раз направляешься? — поинтересовалась тогда Ли, не сводя глаз с мужа.

Он взъерошил русые волосы, его серые глаза смотрели на нее с досадой и любовью.

— Я не могу тебе сказать. Ты же понимаешь. Прошу тебя, не спрашивай.

— На границу?

— Ли, ради всего святого, прекрати устраивать подобные сцены всякий раз, когда я ухожу. — Он довольно долго возился со своим вещевым мешком. — Неужели ты думаешь, что я могу сосредоточиться на работе, если у меня из головы не идет твое залитое слезами, сердитое лицо? Еще до нашей свадьбы ты знала, чем я занимаюсь. Ты сказала, что справишься.

— Я думала, что смогу. — Ли закрыла лицо руками и заплакала. — Но у меня не получается. Я люблю тебя. Я боюсь за тебя.

Грег тяжело вздохнул. Конечно, он понимал, что Ли не могла рассчитать своих сил, терпения и мужества. Он не в праве требовать от нее этого. Грег подошел к жене и обнял ее.

— Я тоже тебя люблю. Ты же знаешь об этом. Но и мою работу я тоже люблю. Моя работа очень важна, Ли. Постарайся привыкнуть, детка.

— Я понимаю, во всяком случае, умом. Я и не прошу тебя бросить ее. Но почему бы тебе не заняться административной работой? Ты бы мог готовить облавы, но не участвовать в них. — Ли вздрогнула, когда ее взгляд упал на пистолет, лежащий на кровати рядом с коробками патронов, носками и бельем, которые муж укладывал в мешок. — Меня в дрожь бросает при мысли, что ты можешь уйти вот так, как сейчас, и не вернуться.

— Ли, я сойду с ума от бумажной работы, и тебе это отлично известно. Я хороший актер, нужен своим товарищам. И я нужен им именно в качестве тайного агента.

— Ты нужен мне, я твоя жена!

— Я нужен правительству. Я нужен ребятам из старших классов школы, которые попадают на крючок к наркодельцам. Сколько бы мы ни работали, мы ловим только мелкую рыбешку. Это заведомо проигранная битва, но я готов продолжать сражаться. Поддержи меня, Ли. Поверь мне. Я не собираюсь подставляться под пули. Ведь я знаю, что ты ждешь меня.

Ли отстранилась от него и улыбнулась дрожащими губами.

— Я всегда буду ждать тебя. Возвращайся домой поскорее целым и невредимым.

Грег горячо поцеловал ее:

— Я обязательно вернусь.

Но Грег Брэнсом не вернулся. В следующий раз Ли увидела его уже в гробу, предоставленном правительством.

Им так и не пришлось посидеть вместе за праздничным ужином, который приготовила Ли. Ей так и не удалось удивить Грега радостной новостью о будущем ребенке, которую она собиралась сообщить ему этим вечером. И тогда Ли поклялась, что никогда больше не свяжет свою судьбу с человеком опасной профессии. Преподавание в начальной школе — это самый большой риск, на который она была согласна.

Грег работал в Эль-Пасо, но вскоре после похорон Ли предложили работу в Мидленде. Она и раньше читала об этом бурно растущем городе на западных техасских равнинах. Мидленд был городом нефтяников. Там, где появлялась нефть, появлялись рабочие места и деньги, которые можно было заработать и потратить. Ли этот город показался подходящим местом для того, чтобы начать все сначала. После смерти свекрови, успевшей узнать, что ей предстоит стать бабушкой, Ли больше ничего не удерживало в Эль-Пасо.

Ее мать протестовала, уговаривала и даже плакала, умоляя дочь переехать в их большой дом в Биг-Спринге, но Ли приняла предложение и отправилась в Мидленд. На ее зарплату и пенсию, которую она получала за Грега, при определенной экономии она могла нормально жить. Ли была полна решимости справиться со всем самостоятельно.

Она прислушалась к легкому дыханию ребенка, увидела, как мерно поднимается и опадает ее хрупкая спинка.

— Самое худшее уже позади, Сара. Мы справимся, — прошептала Ли.

У нее есть дом, работа, здоровый ребенок. Единственное, с чем ей предстояло сражаться, было одиночество.

— Сара, с завтрашнего дня ты садишься на диету, — тяжело вздохнула Ли, укладывая малышку в стоящую на полу колыбель. У нее выдался тяжелый день на работе, потом она заехала к миссис Янг за четырехмесячной Сарой, у которой она оставляла девочку в случае крайней необходимости, и успела заехать в супермаркет за продуктами. Устроив дочку в колыбели, женщина вернулась к машине, забрала два тяжелых пакета с продуктами и с шумом водрузила их на рабочий стол в кухне.

— Ф-фу! — выдохнула Ли, сбрасывая туфли и без сил опускаясь на кушетку. Поведение матери, казалось, забавляло девочку. Она засмеялась и в восторге замахала ручками. — Я вовсе не собиралась вас развлекать, мисс Сара, — нарочито строго произнесла Ли.

Она подошла к девочке, легонько ущипнула пухленький животик.

— За кого ты меня принимаешь, а, обезьянка? За придворного шута? — Сара радостно взвизгнула, когда мать пощекотала пухленькую детскую шейку.

Детские ручки растрепали аккуратный пучок, но распустить густые волосы матери малышке не удалось.

— Уф. — Ли со вздохом опустилась на пол возле дочери. Рубашка выбилась из-за пояса юбки. Она смеялась и пыталась отдышаться. Когда в дверь позвонили, Ли застонала.

— Тебе придется остаться здесь, — шутливо предупредила она Сару.

Женщина распахнула входную дверь, и ее руки удивленно взлетели к груди. У нее отчаянно забилось сердце. Лицо вспыхнуло. В одну секунду из уставшей женщины она превратилась в хорошенькую оживленную особу со счастливой улыбкой на лице.

— Привет!

Его невозможно было узнать! Волосы оставались по-прежнему довольно длинными, но они были великолепно подстрижены. Темный загар не сошел с его лица, но щетина исчезла. Не было ни грязных джинсов, ни ковбойской рубашки. Их сменили фланелевые свободные брюки, светло-голубая рубашка и темно-синий блейзер. Начищенные до блеска черные туфли из мягкой кожи навели Ли на воспоминание о кошмарного вида поношенных ковбойских сапогах.

Прежними остались только глаза — синие, сияющие, притягивающие.

Нет, не одни глаза остались прежними. Ли узнала эту широкую, белозубую улыбку.

— Вы меня помните?

— Раз... Разумеется, — пролепетала она. Забыть его? Как она могла! Конечно же, она помнила его. Часто, лежа в одинокой постели, Ли вспоминала его глаза, его улыбку, голос и его прощальный поцелуй. Она убеждала себя, что хочет увидеть его только затем, чтобы поблагодарить. Но сейчас, глядя в эти удивительные глаза, видя его обезоруживающую улыбку, Ли не была уже так уверена, что хотела лишь дать ему денег и еще раз сказать «спасибо». — Чед... Вы так изменились... — наконец удалось выговорить ей более или менее спокойным голосом. Она чувствовала себя неловкой и смущенной. Ей оставалось только надеяться, что Чед не догадается, что виной тому его появление.

— Вы тоже изменились. Вы теперь такая стройная.

Ли рассмеялась и оглядела себя. И только в эту минуту увидела, насколько она растрепана и растерзана. Она обеспокоенно взглянула на Чеда.

— Входите. Простите меня за такой вид. Мы с

Сарой только что приехали, и я не успела переодеться...

— Вы отлично выглядите, — прервал ее извинения Чед. Он вошел в комнату и застыл на месте. — Нет, это не может быть Сара. — Он подошел к колыбели и с неподдельным интересом стал рассматривать девочку. Сара с любопытством уставилась на него. Она не только выросла и прибавила в весе. На голове у нее появились темные кудряшки, а глаза стали такими же серо-синими, как у матери.

— Это именно Сара, — с гордостью сказала Ли.

— Она настоящая красавица, — восхищенно произнес Чед. Указательным пальцем он легко коснулся лобика девочки, но мокрый кулачок немедленно захватил палец в плен. — И у нее отличные рефлексы, — засмеялся Чед. Он осторожно освободил палец из пухлой ладошки и встал. — Я ей кое-что принес.

— О, Чед, вам не стоило так беспокоиться, — воскликнула Ли и тут же смутилась. Настолько банальной ей показалась эта фраза. Она поспешила добавить: — Вы и так много сделали для Сары. Вы помогли ей появиться на свет.

— Мне захотелось ей что-нибудь подарить. Мой подарок в пикапе. Я сейчас его принесу. — Диллон вышел на улицу, оставив дверь открытой. Непослушными пальцами Ли заправила блузку, потом надела туфли. А волосы! У нее на голове просто воронье гнездо! Она чувствовала, что тяжелый каштановый пучок рассыпался по ее плечам. Вокруг лица вились непослушные пряди. Но времени привести себя в порядок у нее не осталось. Чед уже шел обратно.

— Господи, да что же это такое? — воскликнула Ли, разглядывая огромную коробку, завернутую в красивую бумагу и перевязанную лентами.

— Вам придется открыть подарок вместо Сары.

— А вы мне поможете.

Ли сняла ярко-розовую ленту с гигантской коробки и начала срывать бумагу.

— Моя мать всегда аккуратно разворачивает подарки и хранит оберточную бумагу. Она бы упала в обморок, если бы увидела, как я с этим расправляюсь.

— Совсем невесело разворачивать подарок, если приходится думать о том, чтобы не помять бумагу, — поддержал ее Чед.

Ли подняла на него глаза и улыбнулась:

— Вы правы, я никогда раньше об этом и не задумывалась.

Сняв крышку с высокой коробки, она увидела массу белоснежной мягкой бумаги, под которой пряталось нечто пушистое, желтое с черными полосами.

— А теперь позвольте мне помочь вам, — предложил Чед.

Ли отошла в сторону и смотрела, как он вынимает из коробки гигантского тигра — длинный хвост, длинные ресницы, широкая добродушная улыбка на морде. Ли в изумлении закрыла рот руками. Это был игрушечный тигр, но в натуральную величину.

— Чед! — Ли протянула руку, чтобы коснуться роскошной игрушки. Эта «зверушка» стоит целое состояние, а Чеду такие траты определенно не по карману. Сначала те розы, что он принес ей в палату, теперь этот великолепный игрушечный тигр. Его щедрость выходила за рамки здравого смысла. — Чед, — с упреком повторила она, — вы просто безумствуете!

— Как вы думаете, он Саре понравится? — Диллон с гордостью донес тигра до колыбели и водрузил перед Сарой. Игрушка на несколько дюймов возвышалась над колыбелью. Сара мгновение смотрела на него, потом ее личико сморщилось, ротик приоткрылся, и она залилась отчаянным громким плачем.

— О господи, что я сделал не так? — Чед, охваченный паникой, обернулся за помощью к Ли. Он испугался еще больше Сары.

Ли поспешила взять девочку на руки.

— Я думаю, что она просто потрясена, только и всего.

— Какая жалость! Я не хотел напугать ее...

— Разумеется, вы ни в чем не виноваты. Через минуту с ней все будет в порядке. Ей просто необходимо знать, что я здесь.

И в самом деле Сара очень быстро успокоилась. Она еще пару раз всхлипнула, а потом заинтересовалась золотой сережкой в материнском ухе.

— Вообще-то я слишком мало знаю о детях, — вздохнул Чед с виноватым видом.

— Дайте ей пару дней, и она привыкнет к тигру.

— Надеюсь.

— Честно говоря, мне кажется, что вы уже прощены.

Сара повернула голову на звук голоса Чеда. Кроме дедушки — отца Ли, — малышка других мужчин не видела. И ей не потребовалось слишком много времени, чтобы уловить разницу между голосом матери и гостя.

— Хотите подержать ее? — спросила Ли.

— А вы думаете, она мне позволит?

— Я в этом не сомневаюсь, потому что именно вы первым взяли ее на руки.

— Это и вправду был я, верно?

На мгновение их глаза встретились. И Ли поняла, что они оба вспомнили, как оказались вдвоем на обочине пустынной автострады жарким августовским днем, когда он остановился, чтобы помочь ей. Ли вспомнила, как добр был Чед, сколько сострадания и понимания он проявил. Она чувствовала искреннюю радость от того, что снова видела его.

Ли первой нарушила молчание и протянула ребенка Чеду. Ее рука оказалась в ловушке между мягкой спинкой девочки и твердой ладонью мужчины. Она подняла на него глаза, пытаясь понять, отреагировал ли Чед на это прикосновение, и с тревогой поняла, что Чед не остался равнодушным. Его завораживающие глаза смотрели прямо в ее зрачки. Ли медленно отняла руку.

Чед сосредоточил все свое внимание на Саре. Он говорил негромко, мелодично, на все лады расхваливая ее красоту. Сара засмотрелась на его лицо, загипнотизированная звуком его голоса. И Ли вдруг поняла, что так же легко поддается гипнозу, как и ее дочурка. Чед был так красив! Правда, когда они встретились, он предстал перед ней не в лучшем виде, но ей и в голову не приходило, что он окажется таким красавцем. И как трогательно, что он так оделся, когда собрался навестить их. И почему это ее удивляет? Все, что делал Чед, подкупало искренностью.

Ли снова почувствовала себя огорченной из-за небрежного вида. Сейчас она выглядела простонапросто клушей. Она поправила прическу и выпрямилась, надеясь, что Чед не заметит, что блузка заправлена в юбку наспех и не слишком аккуратно. Она помнила, что чулок у нее поехал, потому что она зацепилась за коляску в супермаркете.

— Не соблаговолят ли обе леди поужинать со мной сегодня вечером? — голос Чеда вывел ее из раздумий.

— Что? Ужин? В городе?

Мужчина рассмеялся и подкинул Сару вверх. Девочка пискнула.

— Да, настоящий ужин в ресторане.

— Мне бы очень хотелось пойти, Чед, честное слово, но я не думаю, что из этого что-нибудь получится. Сару очень сложно брать с собой в ресторан.

— Мы с этим справимся.

— Нет, я не могу принять ваше предложение. — Ли закусила губу. Он столько денег истратил на подарок, что она просто не должна позволять ему тратиться еще и на ужин. Хотя, честно говоря, Ли весьма вдохновила мысль поужинать в ресторане с красивым мужчиной. С Чедом. Именно с Чедом. — Может быть, лучше вы останетесь на ужин? Я хотела сказать, что мы можем поужинать и здесь.

«Да, Ли, — сказала она самой себе, — ты совсем не думаешь, что говоришь». Что Чед теперь о ней подумает? Что она принимает мужчин у себя в доме? Что она вдова, соскучившаяся по мужской ласке?

— Вы уверены, что предпочтете готовить сами, а не уступите эту честь какому-нибудь дипломированному повару?

Нет, она совсем не была в этом уверена, но ей не хотелось, чтобы Чед об этом знал. Во всяком случае, он не стал на нее смотреть похотливо. Он явно понял, что ее приглашение относится исключительно к ужину.

— Сара еще слишком мала, чтобы сидеть на высоком стуле, и мне приходится носить ее в корзинке, из которой она почти выросла. Обычно она очень хорошо себя ведет до тех пор, пока не приносят мой заказ. Вот тут она начинает капризничать. Мне приходится одной рукой есть, а другой...

— Представляю себе эту картину, — смеясь, ответил Чед и поднял руку, чтобы отмести все остальные возражения Ли. — Ладно, согласен. Сегодня я поужинаю у вас. Но только сегодня вечером. В другой раз мы все-таки попробуем сходить в ресторан. Вдвоем нам будет не так трудно справиться с малышкой.

«В другой раз?» — изумленно подумала про себя Ли, а вслух сказала:

— Что бы вам хотелось съесть?

— Решайте сами. — Сара звонко хлопнула его ладошкой по щеке, но Чед как будто не обратил на это внимания.

— Я только что купила банку ветчины в магазине. Вы любите холодную ветчину?

— Обожаю.

— А как насчет салата? — Чед кивнул. — Мои родители приезжали ко мне в субботу. Мама приготовила огромную миску картофельного салата и заверила меня, что чем дольше он стоит в холодильнике, тем вкуснее становится.

— Моя мама утверждает то же самое. Чем я могу вам помочь? — Его белоснежные зубы сверкнули в насмешливой улыбке.

— Кажется, вы отлично поладили с Сарой. Вас не затруднит занять ее еще какое-то время, пока я разложу продукты и накрою на стол?

— Это самое легкое дело, которое мне поручали в последнее время. — Чед подмигнул Ли.

Молодая женщина смущенно опустила глаза, почему-то заливаясь краской... Когда в последний раз у нее в гостях был мужчина? Это было еще до того, как они с Грегом поженились. Как ей развлечь гостя? Да и многие ли женщины принимают гостей, когда у них на руках четырехмесячный ребенок?

— С вашего разрешения я вас на несколько минут оставлю. — Ли прошла через гостиную в свою спальню. — Мне просто нужно... Я сию секунду вернусь.

Она торопливо закрыла за собой дверь и бросилась к шкафу. Что бы ей такое надеть? Так, у нее есть новые брюки... Нет, брюки не подойдут — перемена будет слишком заметной. Но джинсы, наверное, покажутся чересчур домашним нарядом? Глупости! Ведь они же проводят вечер у себя дома, верно? Вечер? Опомнись, Ли! Речь идет только об ужине и исключительно о нем одном.

Ли натянула джинсы и поменяла блузку. Сара испачкала ту, в которой Ли пришла с работы. Так что теперь она выбрала рубашку абрикосового цвета из полиэстра, который только очень опытный глаз мог бы отличить от шелка. Затем, вытащив последние заколки, она торопливо расчесала волосы и заколола с одной стороны заколкой. Что ж, так-то лучше. Она брызнула на себя капельку духов и заторопилась обратно в гостиную. Ли ужасно волновалась.

Чед сидел на диване, у него на коленях сидела

Сара и била его ножками в живот. Когда Ли вошла в комнату, глаза Чеда удовлетворенно блеснули. Он громко присвистнул, но Ли не обиделась.

— Ли Брэнсом, вы потрясающе красивая женщина, — комплимент был произнесен волнующе чувственным голосом.

Ли крепко сжала руки.

— Спасибо, — просто поблагодарила она.

— Я надеюсь, вы не будете возражать — я снял пиджак.

Блейзер лежал на ручке качалки. А рукава рубашки Чед закатал до локтей.

— Нет, устраивайтесь как вам удобно.

Ли повернулась, собираясь отправиться на кухню. Чед взял ребенка на руки, встал и двинулся следом за ней.

— Мне нравится ваш дом, — заметил он, оглядывая небольшие, со вкусом обставленные комнаты. Приглушенные голубые и бежевые тона гостиной повторялись и в обеденной зоне. На кухне глаз невольно останавливался на ярко-синем орнаменте декоративных плиток, уложенных по краю стола. Медные кастрюли и сковородки на длинных ручках свисали с крючков под потолком. Чеду пришлось наклониться, чтобы не задеть их головой.

— Еще раз спасибо. — Ли начала выкладывать продукты из пакетов и размещать их в холодильнике. — Когда я сюда переехала, мне, с одной стороны, не хотелось жить в квартире, а с другой стороны, не хотелось взваливать на свои плечи ответственность за большой дом, — объяснила она, укладывая яйца в специальные гнездышки. — Эти небольшие домики, стоящие рядом и объединенные одним двором, решили мою проблему. Плата за дом включает в себя и оплату услуг садовника. И мне нравится, что я сама хозяйка в своем доме, но в то же время хорошо, что и соседи совсем близко.

Небольшие домики на четыре комнаты расположились в виде подковы по периметру центрального дворика. Покачивая Сару на колене, Чед рассматривал пейзаж в большое окно над раковиной.

— У вас очень милый внутренний дворик, и ландшафт прекрасный.

Ли рассмеялась:

— Как вы знаете, трава и деревья не слишком любят климат Мидленда, но голая земля наводила на меня тоску. Поэтому я принялась создавать собственный сад. Разумеется, сейчас ничего не цветет, но весной цветущие растения очень радуют глаз. Этим летом я заплатила за воду целое состояние.

— Но вы ведь не уроженка западного Техаса, верно?

— Я дитя военно-воздушных сил. Мой отец был кадровым военным, и его последним местом службы стал Биг-Спринг. Это было еще до закрытия авиабазы. Когда он вышел в отставку, они с мамой решили там остаться. К тому времени я уже училась в колледже и не жила дома. Мы с Грегом жили в Эль-Пасо.

— Грег — это ваш муж? — спросил Чед.

— Да. — Ли на мгновение застыла. Прошло уже больше года, а во всех книгах по психологии говорится, что первый год вдовства самый тяжелый. Ли пережила первое Рождество без мужа, их дни рождения, годовщину свадьбы. Огорчения, их ссоры из-за его работы забылись, уступив место более радостным воспоминаниям.

— Расскажите мне, как он выглядел, чтобы я мог понять, на кого похожа Сара.

— Грег был высоким и худым, с русыми волосами и серыми глазами.

— Понятно. Вы говорили, что он работал в отделе по борьбе с наркотиками, — задумчиво произнес Чед. — Вам не нравилось, что он этим занимался?

Ли не сочла вопрос Чеда простым проявлением любопытства. Он так спросил, что стало ясно, что его искренне интересует ее ответ.

— Я ненавидела его работу. Мы с Грегом были счастливы вместе. Единственным поводом для ссор была его работа. Я умоляла его уйти, но... — Ли торопливо закрыла дверцу одного шкафчика и открыла другой. — А чем занимаетесь вы? Все еще работаете механиком?

— Механиком?

— Вы мне тогда сказали, что разбирали мотор самолета. Я решила, что вы механик.

— А, ну да, разумеется, иногда я и в самом деле

работаю с механизмами. Но занимаюсь я совершенно другими вещами. — Он смущенно отвернулся, и Ли не стала настаивать на более подробном ответе. Возможно, у него вообще нет постоянной работы. Чед, похоже, перебивается случайными заработками. Он явно купил эти вещи тогда, когда дела у него пошли получше. Его стиль был несколько консервативным, но вещи были отличного качества и очень ему шли.

Стол был накрыт, еда готова. Чед принес корзинку Сары в кухню, а потом взялся нарезать ветчину. Малышке пришлось довольствоваться собственным обществом, пока взрослые ужинали.

— Вы работаете, Ли? — поинтересовался Чед, впиваясь зубами в кусок французского хлеба, щедро намазанный маслом.

— Да, но о моей работе трудно рассказывать, — улыбнулась молодая женщина. — Я художник-оформитель в торговом комплексе.

Чед уставился на нее с таким изумлением, что Ли расхохоталась.

— Повторите еще раз! — Чед проглотил еще кусок хлеба.

— Я оформляю пространство в торговых рядах. Вы никогда не задумывались о том, кто развешивает там корзины с весенними цветами? Или кто меняет растения в горшках вокруг фонтанов? Кто устраивает перед Рождеством домик Санта-Клауса? Кстати, именно этим я сейчас и занимаюсь.

Чед положил вилку и подмигнул Ли.

— Я, должно быть, покажусь вам полным кретином, но я никогда об этом не думал.

— Об этом мало кто задумывается, но если бы такого оформления не было, все сразу бы это заметили.

— Вы работаете на администрацию торгового комплекса?

— Не только. С торговым комплексом у меня контракт, но иногда я выполняю и другие заказы. Некоторые небольшие фирмы нуждаются в услугах дизайнера. Обычно они просят украсить офис к Рождеству. Иногда к Пасхе. Я говорю им, что следует купить в пределах той суммы, которой они располагают, а потом приступаю к работе.

— Потрясающе!

Ли снова рассмеялась.

— Я бы так не сказала, но это отличная работа для одинокой матери. Я работаю в своем собственном ритме, у меня не бывает авралов, я очень дисциплинированна и, разумеется, всегда делаю работу в срок. Я плачу студентам, которые делают вместо меня самую тяжелую работу, но только не в торговом комплексе. Там мне помогают их собственные инженеры и рабочие. Оформление торгового комплекса обычно меняют пять раз в год. В промежутках между работой я придумываю следующий вариант оформления.

— И каким же образом вы нашли эту работу?

— На самом деле работа сама нашла меня. У меня была подруга, которая делала то же самое для банка в Эль-Пасо. Я была ее неофициальной помощницей. Владельцы торгового комплекса в Мидленде предложили эту работу ей. Она отказалась, но порекомендовала на это место меня. Разумеется, мои работодатели не подозревали, что я беременна, когда я пришла наниматься на работу. Но когда это уже было невозможно скрывать, мне никто ничего не сказал.

— Я их понимаю. Я уверен, что они были довольны вашей работой. И потом, кто же выгонит с работы беременную вдову в наше просвещенное время?

Ли улыбнулась:

— Вероятно, вы правы. В любом случае я рада, что они этого не сделали. Без работы мне не прожить.

Они доели ужин, а на десерт Ли предложила мороженое с шоколадным сиропом.

— А у вас не найдется еще и кофе к этому десерту? — спросил Чед.

От огорчения Ли уронила ложку на блюдце.

— Ой, Чед, нет. Кофе у меня нет и кофеварки тоже. Я его не пью, поэтому...

— Вы не пьете кофе? И после этого вы называете себя американкой?

Ли облегченно вздохнула — слава богу, Чед подшучивает над ней.

— Чед, мне и вправду жалко, что не могу исполнить ваше желание.

— Да что вы, Ли! Было бы из-за чего огорчаться! — просто ответил он. — С удовольствием выпью чашку чаю.

Пока Ли убирала со стола, Чед кормил с ло-
жечки растаявшим мороженым Сару, которая
снова уже сидела у него на коленях. Ли поймала
его на месте преступления.

— Чед, вы кормите ее мороженым? — осуж-
дающе уточнила она.

— И, по-моему, оно ей очень нравится, — ответил Чед с невинной мальчишеской улыбкой.

— Я едва могу поднять ее, она слишком толс-
тая. И уж мороженое ей нужно в самую последнюю очередь.

Чед оторвался от своего занятия, поднял голову и внимательно оглядел Ли с головы до ног.

— Я бы сказал, что вам обеим не мешает немного поправиться.

Ли растерялась, но тут же постаралась превра-
тить его слова в шутку.

— Я слишком усердно трудилась, чтобы вновь
обрести форму после рождения Сары. — Да что
такое с ее голосом? Почему он дрожит?!

— Вы отлично поработали. — Глаза Чеда остановились на ее груди. И словно он коснулся их,
соски Ли тут же набухли и затвердели. Ли стало
неловко, потому что тонкое кружево бюстгальтера
и ткань блузки не могли скрыть ее возбуждения.
Она готова была расцеловать Сару, которая громко расплакалась именно в этот момент.

— Она хочет спать, — сказала Ли, беря малышку из рук Чеда и прикрываясь ею словно щи-
том. — Пойду уложу ее.

— Могу я вам помочь? — Чед встал сразу же,

как только Ли забрала у него Сару. Теперь он стоял рядом, возвышаясь над ними, поглаживая спинку девочки. Но смотрел он на Ли, как будто прикасался к ней, а не к Саре.

— Н...нет, спасибо. Чувствуйте себя как дома. Я вернусь через минуту. Обычно она быстро засыпает.

Ли буквально выбежала из комнаты. Ей пришлось сделать несколько глубоких вдохов, чтобы успокоиться. Сара спала с ней в одной комнате. Ли не была еще готова к тому, чтобы укладывать ее отдельно во второй маленькой спальне. Когда она сама ложилась спать, было нечто умиротворяющее в ровном дыхании малышки.

Ли постаралась вести себя так, чтобы ее нервозность не передалась девочке, пока она будет укладывать ее спать. Но ее предосторожность оказалась напрасной, потому что стоило ей положить Сару на животик, как она сразу же приняла свою обычную позу для сна — попкой вверх — и даже не потребовала, чтобы мать, как обычно, немного погладила ее по спинке. Сара заснула почти мгновенно.

Чед словно часовой вышагивал по гостиной, когда Ли вернулась в комнату.

— Там у вас было так тихо, что я решил — что-то случилось.

— Нет, — ответила Ли, — Сара очень послушная девочка. Я сама удивляюсь — с ней практически нет никаких проблем.

— Это значит, что она счастлива. Вы хорошая мать. Вы даете ей чувство защищенности.

— Надеюсь, — серьезно ответила Ли. — Не знаю, как все сложится потом... Я беспокоюсь о том, как она будет расти без... — Она оборвала фразу, потому что сообразила, какие слова готовы были сорваться у нее с языка. Женщина отвернулась и стала поправлять картину на стене.

— Без отца? — закончил за нее Чед.

Ли повернулась к нему.

— Да. Сейчас ей вполне хватает моего общества, но когда она будет старше...

Чед подошел к Ли. Ей вдруг стало страшно, захотелось убежать, она чувствовала исходящую от него угрозу, но ноги не слушались ее.

— Следует ли это понимать так, что сейчас у вас нет отношений с другим мужчиной? — негромко спросил он.

Сара больше не могла защитить мать. Присутствие Чеда наполнило комнату мужской аурой, и эта новая атмосфера лишила покоя Ли. Она видела ее, чувствовала, обоняла.

— Нет, — все-таки ответила она на его вопрос после долгого молчания.

— Это «нет» означает, что я неправильно вас понял или что у вас нет отношений с мужчиной?

— У меня... никого... нет. — Ли смущенно покачала головой.

— Это из-за Грега? — мягко продолжал расспрашивать Чед. — Вы одна, потому что все еще любите его?

Ли отвела глаза. Чед слишком пристально смотрел на нее. Господи, какие же у него синие глаза, глубокие и... В распахнутом вороте рубашке она увидела волосы, вьющиеся на его груди, такие заметные в свете лампы.

— Нет, честно говоря, причина не в этом. Я не могу отказаться от жизни только потому, что мой муж умер.

— Значит, есть другая причина?

Ли посмотрела ему в лицо и вдруг облегченно рассмеялась.

— Честно говоря, беременная вдова — это не совсем то, о чем мечтают мужчины.

Напряжение спало. Чед расхохотался вместе с ней, закинув голову. Шея напряглась, рельефно обозначились сильные мышцы. Не переставая смеяться, Чед посмотрел на Ли.

— У вас были какие-нибудь проблемы после того, как я привез вас в больницу?

— Нет.

— С вами все в порядке? Все вернулось к норме?

Ей следовало бы смутиться, ведь они обсуждали такие интимные вопросы, но Ли почему-то не ощущала никакой неловкости.

— Да, во время моего последнего визита к врачу я выяснила, что абсолютно здорова.

Чед вздохнул с явным облегчением.

— Господи, сколько же времени я мучился, думая о том, что мог причинить вам вред своими неумелыми действиями.

— Чед! — Ли протянула к нему руку, решив дотронуться до него, но передумала. — Куда вы потом исчезли? Я пыталась вас разыскать. Но в телефонной книге не оказалось вашего номера. Я не знала, что и думать.

— Зачем?

— Что зачем?

— Зачем вы пытались меня разыскать?

— Я хотела как-то отплатить вам за то, что вы помогли мне. Я... — Она замолчала, увидев гневное выражение его лица.

— Интересно, как это вы собирались отплатить мне?! Я бы не взял у вас ни цента, Ли. — Он отвернулся. — Черт побери, — негромко выругался Чед, потом снова повернулся к ней. — Неужели вы думали, что я ожидаю от вас платы?

— Я не хотела обидеть вас, Чед. Я просто хотела, чтобы вы знали, как высоко я оценила... — У нее задрожали губы. — Если бы не вы, я могла бы умереть. И Сара тоже...

— Тс-с. — Чед подошел к ней и обнял. Ли не сделала ни малейшего движения, чтобы высвободиться из его объятий. — Я не хотел вас огорчить. Мне кажется, с того момента, как я у вас появился, я только и делаю, что заставляю двух женщин плакать. — Он пытался пошутить, и попытка ему удалась. Ли рассмеялась, уткнувшись лицом ему в грудь. От него так хорошо пахло. Туалетная вода явно была не из дешевых, с изысканным ненавязчивым ароматом.

Он приподнял ее лицо за подбородок и заставил посмотреть в глаза.

— Помнишь о том, что произошло в твоей палате перед тем, как я ушел?

Ли кивнула беззвучно.

— Скажи, — настаивал Чед.

— Ты принес мне цветы.

— А что еще? — она хотела отвернуться, но Чед не давал ей такой возможности. — Что еще?

— Ты поцеловал меня.

Чед удовлетворенно кивнул.

— Я не был уверен, что ты это помнишь. — Его рука мягко легла на ее щеку. — Тебя слишком накачали снотворным, и ты не могла меня оттолкнуть или не возражала против моего поцелуя?

Ли смущенно опустила глаза.

— И то, и другое, если уж быть честной.

Она услышала, как Чед хмыкнул.

— Значит, ты не станешь возражать, если я снова тебя поцелую? — Она не подняла головы, и Чед настойчиво попросил: — Ли, ответь мне, пожалуйста.

Она утвердительно кивнула.

Сначала она ощутила на губах его теплое дыхание, потом их губы слились. Он целовал ее именно так, как это запомнилось Ли — медленно, нежно, сладко. Чед на мгновение прижал ее к себе, а потом отпустил, чтобы его руки могли ласкать ее спину.

Его настойчивые губы заставили ее открыть рот, и ее губы раскрылись ему навстречу, словно нежный цветок. Их сердца гулко бились, но они не торопились, пили дыхание друг друга.

Затем его язык проскользнул между ее губами и зубами, играя с ее языком. От этой ласки у Ли подкосились ноги. Она обхватила Чеда за талию, цепляясь за него в надежде удержать равновесие в этом мире, убегающем у нее из-под ног.

Ее тело ожило, приникая к нему. Груди налились, соски затвердели от прикосновения к его груди. Чед чуть шевельнулся, и она услышала его удовлетворенный вздох. Его руки ласкали ее тело, гладили, дразнящими движениями скользили по бедрам. Чед прижал ее к себе крепче, положив руку ей на поясницу.

Ли почувствовала его возбуждение, на мгновение отшатнулась от него, но инстинкт взял верх, и она выгнулась ему навстречу. И Чед больше не мог сдерживать себя. Его поцелуи стали страстными. Он ласкал ее рот, пробуя на вкус ее губы.

Он был упрямым и нежным, настойчивым и деликатным, требовательным и умоляющим. Чед целовал ее, а Ли ощутила, как восхитительные, эротические ощущения разливаются по всему ее телу. И ее ответный поцелуй тоже был полон желания.

Им не хватило воздуха, и они оторвались друг от друга. Чед прижался горящей щекой к ее щеке. Ли по-прежнему обнимала его за талию. Их шумное дыхание, казалось, наполняло комнату мерным гулом.

Чед медленно отклонился от Ли, отвел у нее со лба прядку волос. И снова приникнув к ней, он коснулся ее губ целомудренным поцелуем.

— Спокойной ночи, Ли. Я тебе позвоню. — И уже у самой двери, словно вспомнив нечто очень важное, он добавил: — Да, кстати, спасибо за ужин. Было очень вкусно.

ГЛАВА 3

На следующее утро Ли долго лежала в кровати, хотя будильник уже прозвонил. Она плохо спала ночь, вертелась с боку на бок, вставала, снова ложилась. Рассвет принес ей облегчение.

Словно пораженная громом она смотрела, как Чед берет с кресла свой темно-синий клубный пиджак, надевает его и направляется к двери. На прощание он дружески подмигнул ей. Ли не могла отвести глаз от закрывшейся за ним двери, не веря в то, что случилось. Само существование Чеда Диллона казалось ей теперь лишь плодом ее воображения.

Что он за человек? Сначала, когда Ли увидела Чеда, она приняла его за неприкаянного неудачника. Он даже внушал ей страх, от него словно исходила опасность. Но его заботливое отношение к ней, его сочувствие, его помощь изменили первое впечатление. Когда Чед Диллон вышел из ее палаты в больнице, Ли уже считала его добрым и безобидным·бедолагой, нуждающимся в деньгах. Но появившись на пороге четыре месяца спустя с великолепным подарком для маленькой Сары, он несказанно удивил ее. Его одежда говорила об элегантности или как минимум о хорошем вкусе, его манеры — о достойном происхождении и образовании. А его обаяние! А его поцелуй...

Чед заинтриговал ее, и Ли не пыталась это отрицать. Ей так и не удалось выяснить, чем он зарабатывает себе на жизнь, где живет, есть ли у него близкие. С практической точки зрения, Чед Диллон так и оставался для нее незнакомцем, постучавшим августовским днем в окно ее машины.

Но ведь она ответила на его поцелуй с таким пылом, которого сама в себе не подозревала! Ли никогда не считала себя чувственной и страстной женщиной. Они с Грегом вели обычную сексуальную жизнь, им было хорошо друг с другом, и ей этого было достаточно. Но Ли не могла вспомнить, когда чувства так захватывали ее, как в этот вечер с Чедом. Она делила постель с Грегом, но это было продолжением той любви, которую она к нему испытывала. Ли могла определенно сказать, что близость с Чедом могла бы открыть перед ней такие высоты наслаждения, о существовании которых она даже не подозревала. Эта близость сама по себе стала бы событием ее жизни.

Чед уже ушел, а Ли все еще испытывала муки неутоленного желания, ранее совершенно ей неизвестные — внизу живота появилась какая-то тяжесть, соски покалывало, в горле застрял комок.

Она легла в кровать, но прикосновение к прохладной простыне дало ей какое-то совершенно незнакомое ощущение собственной наготы, своего жаждущего мужских ласк тела. Свежий аромат туалетной воды, которой пользовался Чед, все еще витал в воздухе, словно запутался в ее волосах. Стоило Ли повернуться, как ночная рубашка, касаясь ее груди, заставляла ее снова вспомнить о пережитом возбуждении. Каждое движение словно пробуждало к жизни ее дремавшую плоть, рождало в ней какую-то новую женщину, которой прежде не существовало.

Ли удивительно остро ощущала окружающий мир — все звуки, картины, прикосновения и запахи. Ее язык еще не забыл сладостное прикосновение языка Чеда, и она все время облизывала припухшие губы. Ли казалось, что ее глубоко спрятанные чувства вдруг вырвались наружу и наслаждаются обретенной свободой. В ее мозгу рождались совершенно немыслимые фантазии наслаждения.

Ли хотела мужчину. Ли отчаянно нуждалась в нем.

Ее щеки покраснели от стыда и чувства вины, она зарылась лицом в подушку. Когда это было в последний раз? Почти год назад. Молодой матери не следовало бы думать о таких вещах, но Ли знала, что хочет ощутить мужскую силу рядом с собой, внутри себя.

И это должен быть не просто какой-то мужчина. Ли хотела Чеда.

Даже теперь, когда наступило утро, острота желания не притупилась.

— Это глупо, это смешно в конце концов, — отчитывала себя Ли, отбрасывая в сторону одеяло и вылезая из кровати. — Тоже мне, роковая женщина, а у самой даже кофеварки в доме нет. — Она накинула на себя плотный бархатный халат.

Сара только-только заворочалась в своей колыбели, когда Ли наклонилась над ней.

— Доброе утро, моя радость, — промурлыкала Ли, переворачивая девочку на спинку. — Сейчас я поменяю тебе памперс, а потом покормлю тебя завтраком, — ворковала Ли, меняя дочке подгузник. — Возможно, мы никогда больше его не увидим, — сказала она малышке. — Он заглянул к нам только из любопытства, ему просто захотелось узнать, все ли у нас в порядке. — Ли закрепила памперс и понесла Сару на кухню.

— Ну и что из того, что он поцеловал твою мать? — продолжала Ли свой монолог. — Целовался он, надо признать, как настоящий профессионал. Не стоит даже и говорить, у него явно была большая практика. Возможно, у него просто в последнюю минуту сорвалось свидание, и он не придумал ничего лучшего, как навестить нас. Что ты об этом думаешь?

Сара выразила глубокое удовлетворение поглощаемой ею кашкой из злаков с персиком.

— Он и в самом деле очень привлекательный мужчина. Уверена, что тебе он тоже понравился. В конце концов, в некотором смысле ты появилась на свет благодаря ему. Высокий, мускулистый и... гм... твердый. Сара, когда он прижал меня к себе, мне захотелось раствориться в нем. Но он вовсе не груб, — быстро пояснила она, вытирая девочке рот влажным бумажным полотенцем. — Он и с тобой был таким же нежным. Вспомни, как он кормил тебя мороженым. Конечно, даже я понимаю, что он — мужчина с опытом. Его рот... и его руки... Я все думаю, какое должно возникнуть ощущение, когда... Хотя мне это ощущение знакомо. Он прикасался ко мне, когда ты родилась. Но это было совсем другое. Это совсем не было похоже на... Понять не могу, почему я все время об этом думаю... Когда ты вырастешь, Сара, ты сама все поймешь.

Чед был главной темой разговора и за завтраком, и после него, но Сара определенно не возражала против этого. Она плескалась в ванночке, слушая материнские рассуждения. Даже когда они обе уже были одеты и выходили из дома, тема Чеда Диллона еще не была исчерпана до конца.

— Мне бы хотелось, чтобы олени выглядели так, будто парят в воздухе, а не просто подвешены к потолку, — говорила Ли, обращаясь к рабочим, собравшимся вокруг нее. — Вы понимаете? Предполагается, что олени Санта-Клауса летят. Так что давайте опустим их, ну, скажем... — Ли взглянула на зеркальный потолок торговых рядов, — на два с половиной фута. Это минимум. Нити достаточно прочные и не оборвутся.

— А что, если они все-таки порвутся и северный олень рухнет на ничего не подозревающего покупателя?

Этот мягкий, завораживающий голос прозвучал у самого уха Ли. И она мгновенно его узнала. Женщина резко обернулась и увидела Чеда, стоящего у нее за спиной.

— Привет, — улыбнулся он. — Я подам в суд, если олень упадет мне на голову в тот момент, когда я буду покупать подарки к Рождеству.

— Он легкий и не причинит вам вреда, — торопливо ответила Ли. — Он из папье-маше и внутри пустой.

— И я такой же. Пустой, я имел в виду. Как насчет ленча?

Чед снова выглядел как ковбой. Только на этот раз его фирменные джинсы были безупречными. Поверх голубой клетчатой рубашки он надел замшевый жилет, а в руке держал черный фетровый стетсон. Ли не удержалась и взглянула на его ноги. Пыльные старые ковбойские сапоги уступили место новехоньким черным из кожи ящерицы.

— Привет, Чед, как дела?

Ли оторопела и с удивлением смотрела на рабочих, пока они разговаривали с Диллоном.

— Отлично. Джордж, Берт, Сэй, Хэл, привет всем. А как дела у вас?

— Так себе. Было что-нибудь интересное за последнее время?

Чед быстро покосился на Ли.

— Нет, ничего особенного.

— А я слышал об одном дельце в...

— Джордж, я пришел сюда, чтобы пригласить на ленч понравившуюся мне женщину, и вовсе не собираюсь тратить попусту время, сплетничая тут с вами.

Мужчины рассмеялись и внимательно посмотрели на Ли. Раньше она была для них только профессиональным дизайнером, компетентным человеком, но теперь, поняла Ли, они смотрят на нее как на привлекательную женщину. Чед обнял ее за плечи, и она почувствовала, что краснеет. Пытаясь взять себя в руки, Ли посмотрела на часы.

— Я полагаю, сейчас самое время для ленча, — согласилась она. — Встретимся здесь же через... Ну, скажем, через час.

— Скажем, через два часа, — вмешался Чед.

Снова послышались одобрительные смешки, мужчины начали понимающе переглядываться и подмигивать друг другу. К счастью, Чед сразу же увел Ли.

— Где твой кабинет?

— Чуть дальше — за отделом косметики.

— Тебе понадобится плащ. На улице холодно.

— Нам незачем выходить на улицу. Здесь есть отличный салат-бар и...

— Это еда для кроликов. И потом, я здорово проголодался. Кстати, я обещал Саре немного подкормить тебя. — Он не дал Ли возможности запротестовать и сразу спросил:

— А где же красавица Сара?

— Миссис Янг, которая живет по соседству, присматривает за детьми работающих матерей. Сара остается у нее, когда мне приходится работать несколько часов подряд.

— Чуть не забыл, — спохватился Чед и вытащил из кармана листок бумаги. — Это мой номер телефона. Он не числится в телефонном справочнике, потому что меня часто не бывает в городе. Зачем зря занимать место на странице? — Он обезоруживающе улыбнулся.

— Спасибо, — поблагодарила Ли, размышляя о том, зачем, собственно, ей звонить ему.

— Можешь звонить когда захочешь. — Чед как будто разгадал ее мысли и улыбнулся.

Они прошли сквозь толпу покупателей — спешащих, любопытствующих или равнодушных — к маленькому офису, который администрация торгового комплекса предоставила в распоряжение Ли. Он располагался рядом с платными телефонами. Ли взяла плащ и сумочку, и·они направились к выходу.

Грузовичок Чеда был, как и тогда, таким же помятым и грязным и никак не хотел заводиться на холоде, но Диллону все же удалось раскочегарить мотор, и они наконец выехали со стоянки. Определенно, Чед уже решил, где они будут обедать, и не собирался спрашивать мнения Ли.

— Чед, разве ты из Мидленда? Откуда Джордж и другие тебя знают?

— Я здесь родился и ходил в школу и только потом уехал в колледж. Большинство старожилов знают и меня, и моих родителей.

Ли несколько мгновений переваривала полученную информацию, потом снова спросила:

— Ты по-прежнему живешь здесь?

— Да, только я много путешествую.

— Это связано с твоей работой?

Машина повернула влево, и Чед ответил не сразу:

— Да.

Ли ждала продолжения, но Чед молчал, глядя на дорогу.

— Но чем ты занимаешься? Джордж спрашивал тебя о работе. Ты всегда работаешь с самолетами? — Она знала, что из Мидленда есть множество чартерных рейсов в другие города. И потом, у многих нефтяных магнатов были собственные самолеты.

— Да, конечно, летать приходится много.

Грузовичок остановился у входа в ресторан. Чед вышел из машины, открыл дверцу для Ли. Ветер налетел на них, пока они шли к входу. Ли не обратила внимания на название ресторана, но как только они вошли внутрь, она по запаху поняла, что это ресторан-барбекю. В густом теплом воздухе разливался насыщенный аромат специй и дыма.

Из колонок в углу Вилли Нельсон упрашивал мамочек не позволять сыновьям становиться ковбоями. Все табуреты у длинной стойки были заняты служащими в деловых костюмах, рабочими в промасленных джинсах и скотоводами в сапогах с высокими каблуками.

Чед взял Ли за локоть и повел к одной из кабинок, расположенных вдоль стен с цветными витражами, покрытыми пылью и жиром. Он уселся на сиденье из искусственной красной кожи напротив Ли и снял шляпу. Как-то по-мальчишески он пригладил волосы руками. А Ли этот жест показался удивительно соблазнительным.

— Хочешь, я повешу его? — спросил Чед, когда Ли сняла свой плащ.

— Спасибо, не стоит. Положи его на свободный стул.

— Тебе очень идет твой наряд, — одобрительно заметил Чед, разглядывая ее черный свитер из шерсти-букле, плотно облегающий фигуру, и широкий плетеный цветной пояс, подчеркивающий тонкую талию. В черных шерстяных брюках Ли выглядела особенно стройной и длинноногой. — Или, возможно, мне следовало бы сказать, что это ты украшаешь собой эти вещи.

— Спасибо. Ты и сам в полном порядке. — Она понадеялась, что его не обидит скромная похвала. Ведь она едва не выпалила то, что вертелось у нее на языке — Чед выглядел чертовски сексуально, но такие слова она бы не отважилась произнести.

Чед помахал рукой, призывая измученную официантку, суетящуюся за стойкой. Женщина усталой походкой направилась к ним.

— Что будешь пить? — обратился Чед к Ли.

— Чай со льдом.

Он широко улыбнулся.

— Ты стала настоящей жительницей Техаса, хочется тебе этого или нет. Чай со льдом тут пьют круглый год, а не только летом.

— Приветик, Чед, — неожиданно тепло улыбнулась официантка, подплывая к столику и призывно покачивая бедрами. Ее пышная грудь грозила прорвать тонкую ткань голубого форменного платья. В ушах вызывающе сверкали огромные серьги из поддельных бриллиантов, а платиновые крашеные волосы были обильно залиты лаком. Яркий макияж был бы более уместен в Лас-Вегасе, и Ли сразу вспомнила добросердечных содержательниц борделей из популярных вестернов. — Как дела?

— Отлично, Сью. Как поживает Джек?

— Он по-прежнему толстый и ленивый. А ты видел его другим? — официантка игриво рассмеялась. — Где ты пропадал, Чед? На танцах пару недель назад нам тебя очень не хватало.

— Я уезжал из города.

— Крупное дельце?

Чед пожал плечами, давая понять, что эта тема ему не интересна.

— Это Ли Брэнсом, — представил он свою спутницу. — Она бы с удовольствием выпила чаю со льдом.

— Приветик, Ли. — Сью широко улыбнулась, демонстрируя пугающе крупные зубы. — А что будешь пить ты, Чед?

— Холодное пиво найдется?

— А то ты меня плохо знаешь! — женщина снова засмеялась. — Сей момент принесу выпить и приму у вас заказ.

— Ты любишь барбекю? — спросил Чед у Ли, открывая видавшее виды меню.

— Да. — Ее ответ прозвучал сдержанно.

— Но? — Чед призывал ее ответить откровенно. Ли улыбнулась.

— Обычно я не ем много во время ленча.

Чед сложил руки на зеленой клеенке, покрывавшей стол, и нагнулся к Ли.

— Разве ты отказывалась от питательной еды, пока кормила Сару?

Ли показалось, что ее тело окутал волшебный теплый туман, окрашивая ее щеки густым румянцем. Она торопливо опустила глаза. И ее взгляд упал на руки Чеда, спокойно лежавшие рядом с приборами, завернутыми в бумажную белую салфетку. Это были красивые руки, сильные, мускулистые, загорелые, поросшие темными волосами. Ли знала, какими они могут быть нежными и ласковыми. Эти пальцы погладили по щеке Сару, когда та только-только родилась. Он видел, как Ли впервые дала грудь малышке, и снова коснулся щеки девочки, приласкав при этом и ее мать.

И все-таки Ли было неудобно говорить с ним об этом. Даже после их поцелуя накануне вечером. Именно этот поцелуй все изменил. Поцелуй в больнице в счет не шел. Это был дружеский, ободряющий поцелуй, как благодарность за хорошо выполненную работу. Но здесь, у нее дома, все было совсем иначе. Язык Чеда вызвал к жизни чувственные ощущения Ли, о существовании которых она даже не подозревала. И теперь их отношения, все слова неожиданно приобрели сексуальную окраску. Но, похоже, только для Ли. Вероятно, сам Чед...

— Ли? — Его голос вырвал женщину из задумчивости.

Она потрясла головой и поняла, что Чед прочел ее мысли. Его сияющие сапфировые глаза пристально смотрели на нее, проникая в самую душу, срывая печати с ее самых тайных мыслей. Но Ли не отвела глаз.

— Да, я помню. — Голос Чеда звучал так тихо, что только Ли могла его услышать. — Я помню все до мелочей — как ты выглядела, какой была мягкой, цвет твоей кожи, абсолютно все. Это врезалось мне в память, и я множество раз вспоминал об этом. Особенно часто, когда я был один. В постели. И каждый раз я сгорал от желания снова прикоснуться к тебе так, как в тот день. Да, я ничего не забыл. И я думаю, что поступаю честно, говоря тебе об этом. Ты должна знать.

Они оба вздрогнули, услышав рядом пронзительный голос Сью.

— Выбрали, что будете заказывать? — Ее карандаш застыл над блокнотом.

Чед обратился к своей спутнице:

— Ли?

Она даже не взглянула в меню, но быстро нашлась:

— Сандвич-барбекю, пожалуйста. — Ее голос звучал приглушенно.

— А мне два сандвича-барбекю с соусом и порежьте, пожалуйста, лук. — Казалось, магическое очарование прошедших минут на него не подействовало, и он даже игриво улыбнулся Сью, прося порезать лук. — И еще порцию жареного картофеля. Нет, пожалуй, лучше две порции.

— Я приготовила для тебя салат из шинкованной капусты с майонезом, как ты любишь, — сообщила Сью.

— Две порции.

— Чед, я не думаю, что смогу... — Возражение застряло у Ли в горле, когда Чед угрожающе посмотрел на нее.

Официантка рассмеялась:

— На этот раз тебе попалась тонкая штучка, Чед. Избегая смотреть на смущенную Ли, Чед отвел глаза.

— Мне как раз такие и нравятся.

— Что ж, зато ты, дорогой, — им всем. — Сью потрепала Чеда по щеке и наконец отошла.

Итак, Ли теперь знает, что Чед нравится всем женщинам. Пока они ели, с Чедом успели переговорить все женщины, бывшие в этот момент в ресторане. Три дамочки, явно посещающие загородный клуб, с великолепно уложенными волосами, свежим маникюром и тоннами золотых украшений задержались возле их столика. Чед вежливо познакомил их с Ли. Но на нее женщины не обратили никакого внимания.

Одна из дам ласково положила руку на широкое плечо Чеда.

— Бубба наконец построил мне крытый бассейн, о котором я так долго мечтала, Чед. Там есть джакузи и бар. В этом бассейне мы теперь и проводим дни, варимся в горячих пузырьках. Заходи в любое время. Холодная выпивка и горячая вода к твоим услугам. Тебе понравится, уверяю. Тебе будут всегда рады.

Ли мрачно сидела, уставившись на свой салат. Приглашение включает в себя холодную выпивку, теплый бассейн и эту жену неведомого Буббы. Дамы отошли, оставив после себя вызывающе терпкий аромат дорогих духов. Откуда авиамеханик знает всех этих богатых женщин? И насколько близко он с ними знаком? Ревнивый внутренний голос задавал все новые и новые неприятные вопросы.

Но Чед нравился не только жене Буббы и ее подружкам. Пожилая пара, уже выходившая из ресторана, остановилась рядом с ними, и женщина воскликнула:

— Здравствуй, Чед! Как ты поживаешь, мой мальчик? — Она обняла его и расцеловала в обе щеки. — Мы так давно тебя не видели. Ты был занят? Как твоя мама? Я только вчера говорила Дэвиду, что мы очень давно не виделись с твоими родителями. Сейчас все так заняты. Я начинаю думать, что любила наш маленький город куда больше, пока сюда не понаехали толпы чужаков. Ты меня понимаешь? Я больше не встречаюсь с моими друзьями.

— Мистер и миссис Ломакс, разрешите вам представить Ли Брэнсом, — вежливо прервал ее излияния Чед.

— Здравствуйте, — едва успела вставить Ли, прежде чем женщина начала новый монолог:

— Какая же вы хорошенькая! Ну разумеется, иначе и быть не могло. За Чедом всегда бегают девушки. Мои сыновья всегда так ему завидовали. Но Чед всегда был хорошим мальчиком, красивым, но совсем не заносчивым. Ведь я всегда так говорила, верно, Дэвид? Чед Диллон — хороший парень.

Бедному Дэвиду так и не удалось произнести ни слова. Через секунду болтливая жена буквально выволокла его из ресторана.

— Мне очень жаль, что так получилось, — извинился Чед. — Так всегда бывает, когда знаешь в городе слишком многих. Просто невозможно остаться наедине.

— Да нет, все в порядке, правда, — еле слышно ответила Ли.

— Нет, не в порядке. Я хотел побыть с тобой вдвоем. — На мгновение их глаза встретились, и Ли почувствовала, как все у нее внутри заныло от желания. — Ты больше ничего не будешь есть?

Ли доела сандвич, попробовала салат из капусты и чуть-чуть жареного картофеля. К хлебу она даже не притронулась. Молодая женщина покачала головой.

— Все было очень вкусно, но я уже сыта.

— Тогда пойдем отсюда. Если, конечно, ты не любишь целоваться на публике, — с улыбкой соблазнителя добавил Чед.

У Ли как-то ослабели колени и закружилась

голова. Она неловко выбралась из кабинки, но Чед сразу же подхватил ее под локоть. Он расплатился у старого кассового аппарата. Рядом стояла стойка с сигаретами, жевательной резинкой, желудочными таблетками, сладостями, дорожными картами, цепочками для ключей и керамическими пепельницами в форме самого распространенного в этих местах животного — броненосца.

Вернувшись на стоянку автомашин перед торговым комплексом, Чед припарковал машину поближе к входу.

— Когда этот северный олень начнет летать?

— В воскресенье перед Днем благодарения.

— До Дня благодарения?

— Да, именно так. Пятница и суббота после Дня благодарения — самые торговые дни в году. Все должно быть украшено к Рождеству, чтобы создать у покупателей соответствующее настроение. Работать в те часы, когда магазины полны покупателей, мы не можем. Поэтому будем работать в воскресенье, когда все магазины закрыты.

— Как эльфы, которые появляются среди ночи и делают башмаки для сапожника и его жены?

— Ты знаешь эту сказку?

Чед выглядел оскорбленным.

— Моя мама всегда рассказывала мне сказки на ночь, как любая другая мать.

— А ты был таким очаровательным мальчиком... — Ли передразнила миссис Ломакс: — Хорошим мальчиком.

Чед застонал.

— Я должен немедленно изменить это впечатление. И начну я прямо сейчас.

Он потянулся к Ли, положил руку ей на затылок и притянул к себе.

— Мне кажется, тебе не понравилась моя сдержанность сегодня, а я так старался держать себя в узде. Но за ленчем я мог думать только об этом.

Его губы были теплыми, нетерпеливыми, требовательными. Он ожидал повиновения и не был разочарован. Губы Ли маняще приоткрылись, и все ощущения, которые она так старалась подавить в себе, воскресли вновь. Ее тело вспыхнуло огнем от жара его губ. Их языки боролись, сплетались, ласкали друг друга.

Потом его губы коснулись ее щеки, уха.

— Ты по-прежнему считаешь меня «хорошим мальчиком»? — прошептал он.

— Нет, — вздохнула Ли, — теперь не считаю.

Он схватил ее за руку и с жаром поцеловал ее ладонь. Сердце Ли гулко билось.

— Я не знал, как ты ко мне относишься. Поэтому и явился без приглашения вчера вечером. Я побоялся позвонить, думал, ты не захочешь меня видеть.

— Ты ошибался, как видишь.

— Я не мог рисковать. Я должен был тебя увидеть.

— Почему, Чед?

Большим пальцем он поглаживал голубые

жилки на ее запястье. Снова поднеся ее руку к губам, он заговорил, целуя ее пальцы:

— Потому что с той минуты, как я оставил тебя в больнице, ты не выходила у меня из головы.

— Это можно понять — не каждый день мужчины принимают роды на дороге у посторонних женщин.

— Ты же знаешь, что дело не в этом. — Его пальцы играли с мочкой ее уха. — Я думал о тебе как о женщине, которую мне хотелось бы узнать лучше, но которая, вероятно, еще не справилась с тем, что с ней случилось. Господи, я вспоминаю тот день и думаю, что наверняка перепугал тебя до смерти.

— Сначала я и вправду испугалась. Но страх длился всего несколько минут. Ты был таким добрым.

— А ты такой красивой.

— Я выглядела ужасно.

— Ты выглядела как произведение искусства.

— Разве что кисти Сальвадора Дали.

— Нет, как скульптура Луки Делла Робии, флорентийского мастера пятнадцатого века. И ты по-прежнему кажешься мне такой. При каждой новой нашей встрече, Ли, ты становишься все прекраснее и все желаннее.

Чед снова поцеловал ее, казалось, он черпал в ней силы. Ли не нашла в себе сил сопротивляться натиску его губ и языка. Он пил из ее рта, словно из источника, и, утолив жажду, стал ласкать ее шею. Ли дрожала, у нее кружилась голова, она ощущала предательскую слабость. Его руки коснулись ее груди, большие пальцы надавили на соски.

— Чед... — еле выдохнула Ли, отталкивая его руки. — Я... Я должна вернуться на работу, — сказала она, избегая его взгляда, судорожно пытаясь привести в порядок волосы и одежду.

Мгновение Чед смотрел на нее. Ли знала, что он рассматривает ее лицо, хотя и не поднимала глаз. Она услышала, как Чед вздохнул, а потом открыл дверцу машины.

Он помог ей выбраться из пикапа, и они побежали через стоянку, прижавшись друг к другу, подгоняемые ледяным ветром. Чед пытался защитить Ли от холода своим сильным телом, обнимая ее.

— Могу я приехать к тебе сегодня вечером? — Он заметил ее нерешительность, ее сомнения, ее желание сказать «нет». — Я слишком тороплюсь, так, Ли?

Несмотря на все, что она испытала прошлой ночью, Ли понимала, что не может просто так завести с ним роман. Она должна была думать не только о себе, но и о Саре, об их будущей жизни. А связь с Чедом — это наверняка не то, что ей сейчас поможет устроить жизнь. Очень легко сейчас сказать «да», и Чед станет ее любовником, но секс только ради секса противоречил всему, во что верила Ли. Будет лучше, если она прямо сейчас выскажет Чеду все, что думает.

— Если тебе захотелось легкого флирта, развлечения на какое-то время или ты ищешь возможность перепихнуться в укромном уголке, то я в такие игры не играю, — набравшись смелости, выложила она.

— Я знаю. И лично я предпочитаю неторопливый, качественный секс. — Его губы изогнула насмешливая улыбка, а завораживающие глаза дерзко блеснули. Как жена Буббы, как старая миссис Ломакс, как Сью, как малышка Сара, Ли поддалась его очарованию. Ее враждебность расстаяла, как снег под солнцем. — Так мы увидимся вечером, согласна?

— Ты придешь на ужин? — покорно спросила она.

— Нет, — с сожалением ответил Чед. — Я смогу прийти только после девяти, у меня есть еще дела. Это не слишком поздно?

— Нет.

— Вот и отлично. — Он нагнул голову и быстро поцеловал Ли. — В чем дело? — изумился он, когда понял, что она смеется.

— Меня никогда раньше не целовал мужчина в ковбойской шляпе.

Его яркие синие глаза насмешливо сверкнули.

— Теперь будет, — серьезно предупредил он.

Он толкнул тяжелые стеклянные двери, и они вошли в торговый комплекс. Чед проводил Ли до ее офиса. Рабочие уже собрались возле большого фонтана — там, где Ли с ними рассталась.

— Увидимся в девять. — Чед пощекотал ее под подбородком. — Иди избавляйся от своего плаща и делай все, что так надолго задерживает леди в дамской комнате. Я скажу парням, что ты сейчас появишься. — Он кивком указал на ожидающих Ли людей.

— Пока. Спасибо за ленч. Увидимся вечером.

Было десять часов вечера. Кекс, который испекла Ли, уже остыл. Сара давно спала в своей колыбельке. А Чеда все еще не было.

После ленча с Чедом Ли с головой окунулась в работу. С выделенной ей в помощь бригадой она окончательно уточнила все детали украшения торговых залов к Рождеству. Все они выйдут на работу в следующее воскресенье. Ли надеялась, что они смогут все закончить за один день.

А вот ее встреча с членами правления «Сэддл Клаб Эстейт» прошла не так успешно. К Ли обратились владельцы домов в самой престижной части Мидленда. Члены правления хотели, чтобы Ли помогла разработать внешнее рождественское оформление для каждого дома в округе. Идея состояла в том, чтобы каждая улица была выдержана в собственном стиле, а весь квартал композиционно составлял единое целое. Но пятеро членов правления никак не могли прийти к единому мнению по цветовой гамме. Ли понимала, что эти препирательства могут застопорить все дело.

— Если вы хотите, чтобы украшения были готовы к началу второй недели декабря, то к концу этой недели вы должны сообщить мне о вашем решении.

Члены правления обещали не задерживать решение. Взвинченная, Ли ушла с собрания позже, чем рассчитывала, и отправилась забирать Сару. Она накормила девочку, поиграла с ней, пока малышка не начала капризничать, а потом уложила спать. У нее еще осталось время самой полежать в душистой пене и привести в порядок свой макияж.

Ли внимательно рассматривала свое отражение в зеркале. Когда красишься и одеваешься ради мужчины — это нечто особенное. Она и вспомнить не могла, когда в последний раз испытывала такое радостное возбуждение. А вдруг Чед решит, что она перестаралась? Вдруг он решит, что она — одна из многих одиноких вдов, изголодавшаяся по мужскому вниманию и готовая прыгнуть в объятия первого попавшегося мужчины? А вдруг он подумает, что ее слова о том, что она не признает секс ради секса, это всего лишь неловкая попытка замаскировать приглашение?

«Держись строже, Ли», — предупредила она саму себя. Но как сложно напускать на себя равнодушный вид, когда при одной только мысли о Чеде у нее слабеют ноги и кровь стучит в висках, как у девочки-подростка? А он только подогревает ее чувства. Это и льстило ее самолюбию, и пугало ее.

Но время шло, а Чед все не появлялся и даже не звонил. И Ли с огорчением пришла к выводу, что вела себя как дурочка. Она же не могла не видеть в ресторане, что все женщины, которые там были, пытались так или иначе привлечь его внимание к себе. Зачем ему она, женщина, с которой он познакомился при обстоятельствах, которые никак не назовешь ни романтическими, ни обнадеживающими?! К тому же у нее на руках маленький ребенок. Нечего и голову ломать, и так все ясно. Как только Ли сказала ему, чтобы он не рассчитывал на легкую интрижку, Чед Диллон дал задний ход. Несговорчивая вдова, не говоря уже и о ребенке, похоже, не вписывалась в его стиль жизни.

— Нечего было язык распускать, — выговорила она самой себе, сердито глядя на свое отражение в зеркале. Зачем ей вообще понадобилось что-то говорить? Он поцеловал ее днем на парковке и едва прикоснулся к ее груди. Ну и что дальше? Вероятно, ее поцелуй лишил его способности рассуждать здраво. Может ли нормальный мужчина отвечать за свои действия, если женщина отвечает на его поцелуй с таким пылом? Почему она запаниковала, как девственница-пуританка?

Когда его рука коснулась ее груди, почему она просто шутливо не шлепнула его по пальцам? Жена Буббы наверняка умеет так сказать «нет», что мужчина сразу понимает продолжение: «Может быть, позже, когда мы узнаем друг друга лучше...» Но она-то не жена Буббы, сказала себе Ли. Она была, по выражению ее собственной матери, «хорошо воспитанной юной леди», и для нее секс всегда был связан с браком. В свою брачную ночь Ли была девственницей. Она...

Громко зазвонил дверной звонок, и Ли сорвалась с кушетки. Подавив в себе желание со всех ног броситься к двери, они сделала три глубоких вдоха и медленно пошла открывать. Чед стоял на пороге, широко расставив ноги и упираясь ладонями в косяк. Не делая больше ни одного движения, он медленно наклонился и поцеловал ее.

Какое-то мгновение Ли решила было сопротивляться, сначала выяснить, почему он опоздал на целый час, заявить, что она не приглашала его остаться на ночь, но его теплые губы лишили ее способности бунтовать и мыслить здраво. Он медленно, неторопливо обнял ее. Их тела слились.

— Прости меня за опоздание. Но я ничего не мог поделать. Честное слово, — прошептал Чед.

— Я понимаю, — услышала Ли собственный ответ. Его поцелуй лишил ее силы воли. Ее лицо утонуло в его ладонях, крупные пальцы осторожно касались ее губ.

— Мне нравится это... То, что ты надела.

— Я купила это сегодня. — Ли увидела длинный вышитый кафтан в одном из бутиков и без колебаний купила. Это было как раз то, что нужно для спокойных тихих вечеров дома... с Чедом. «Нет, прекрати, прекрати немедленно», — одернула она себя.

— Я принес тебе подарок.

— Ты принес мне подарок? — переспросила Ли, чувствуя, что от волнения заплетается язык.

Чед оглянулся и вытащил откуда-то из-за спины две коробки в подарочной упаковке.

— Сначала открой большую.

Ли взяла коробки и направилась к дивану, пока Чед снимал плащ.

— О нет! — воскликнула она, когда извлекла из коробки кофеварку. — Сейчас я угадаю, что во второй коробке.

— И не ошибешься! Там три фунта кофе! — Он щелкнул пальцами словно фокусник. Увидев, что Ли пытается сдержать приступ смеха, Чед спросил:

— Что тебя так развеселило?

— Сейчас увидишь! Тебя тоже ждет подарок. Идем на кухню.

Заинтригованный, Чед прошел следом за ней на кухню и захохотал тоже, увидев там точно такую же кофеварку. Рядом стояла упаковка кофе.

— Ты сегодня ходила за покупками? — Он взял Ли за руки и чуть отодвинул от себя. — Значит ли это, что ты собираешься частенько варить для меня кофе?

— Значит ли это, что ты хочешь, чтобы я это делала? — поддразнила его Ли.

Вместо ответа Чед прижал Ли к себе с такой силой, что у нее перехватило дыхание. Его пальцы торопливо пробежались по роскошным каштановым волосам, которые Ли не стала укладывать в прическу, губы отыскали ее губы.

Пальцы Ли осторожно двинулись по его плечам, прикасаясь, лаская, наслаждаясь осязанием крепких мышц. Ли завораживала его сила, руки Ли словно изучали тело Чеда, не в силах прервать свое движение.

— О, Ли, — выдохнул Чед, отрываясь от нее, — если мы не остановимся сейчас, я так и не получу свою чашку кофе.

«Остановимся?» Значило ли это, что они продолжат потом то, что начали?

— И ты так и не попробуешь мой шоколадный кекс, — ответила Ли ему в тон.

— Мне не терпится попробовать совсем другое, но я полагаю, что начинать мне следует все-таки с кекса.

«Начинать?» Нервным жестом Ли пригладила волосы.

— Почему бы тебе не сварить кофе? Думаю, что у тебя это получится лучше. А я порежу кекс. — Она просто обязана остановить его. Нет, остановить надо и себя, подумала Ли. Чед всего лишь отвечает на ее призыв, который ей никак не удается скрыть, несмотря на все сомнения и тревоги.

Чед поделился с ней своим рецептом приготовления крепкого кофе, пока Ли резала кекс. Он выпил три чашки кофе подряд и с явным удовольствием съел два куска шоколадного кекса.

— Как тебе удается держаться в форме? Никогда бы не подумала, что ты не следишь за фигурой! — воскликнула Ли, когда Чед доедал внушительный кусок кекса.

— Все дело в тяжелой работе и хорошем обмене веществ.

— Ты ходишь в тренажерный зал? Бегаешь? Играешь в теннис?

— Изредка.

— Ты занимался спортом в старших классах школы и в колледже?

— Время от времени.

— Чед Диллон, ты всегда так немногословен, когда отвечаешь на заданные тебе вопросы? — в отчаянии спросила Ли.

— Бывает и такое.

— О боже! — Ли страдальчески закатила глаза, развеселив Чеда. Ему едва удалось перехватить ее руку, устремившуюся к его длинным волосам.

— Я знаю куда лучший способ снимать напряжение и сжигать лишние калории, — медленно произнес он. Чед взял Ли за руку и повел в гостиную.

— Но кекс... Кажется, он тебе очень понравился.

— Он подождет. И потом, мне показалось, ты недовольна, что я и так съел слишком много. Но есть кое-что, чего мне никогда не бывает слишком много...

Он оставил Ли стоять посреди гостиной, а сам уселся на диван и принялся снимать правый сапог.

— Что... Что это ты делаешь? — спросила Ли как можно равнодушнее.

Почему она стоит вот так посреди комнаты? Почему не спрашивает, зачем он снимает сапоги и почему это чувствует себя как дома в ее гостиной? И что он собирается делать, когда наконец их снимет?

— Зачем ты снимаешь сапоги? — Ли хотелось,

чтобы ее вопрос прозвучал строго, но вместо этого получилось нечто жалобное. Голос дрожал.

— Ноги устали.

— Ах вот оно что. — Это было уж слишком.

Второй сапог упал на пол с глухим стуком. Чед не сказал ни слова, только протянул Ли руку. Как будто повинуясь мистическому приказу, женщина двинулась к нему, скидывая по пути туфли.

Чед привлек ее к себе. Ее голова лежала на его груди. Он усадил Ли между своих коленей. Он приподнял каштановую массу ее волос и поцеловал шею. Когда его язык коснулся чувствительной мочки уха, по спине у Ли побежали мурашки.

— Чед... — прошептала она. Ее никогда раньше так не целовали, и она только повернула голову, чтобы насладиться этой непривычной лаской. — Чед, — слабым голосом повторила Ли, — что ты делаешь?

— Я изо всех сил стараюсь соблазнить тебя. Я пришел сюда с благородными намерениями, — его губы дрогнули в усмешке, когда он произносил эти слова, — но все мое благородство куда-то улетучилось. — Он еще крепче прижал к себе Ли. — Никогда раньше я так сильно не желал женщину, как теперь хочу тебя, Ли, — хрипло сказал он — Скажи, что ты тоже хочешь меня. Скажи это, Ли.

Как всегда, не проявляя видимого нетерпения, он медленно развернул ее к себе, приподнял лицо.

— Моя отважная красавица Ли! Пожалуйста, позволь мне любить тебя.

И Ли почувствовала, как вся ее сдержанность, все ее благоразумие исчезают, как песок между пальцами.

— Да, — только и смогла сказать она.

Их губы слились, словно истосковались в разлуке и теперь наслаждались соединением.

Ли прильнула к Чеду, и ее рука совершенно естественно легла на его грудь. Его язык изучал нежные глубины ее рта, а ее пальцы нетерпеливо расстегивали пуговицы на его рубашке, пока она не ощутила шелковистую мягкость его волос на груди.

Ли не сразу поняла, что Чед, умело справившись с верхними завязками на ее кафтане, уже приступил к следующим. Ли в предвкушении затаила дыхание и испытала разочарование, когда Чед поднял голову, чтобы взглянуть на нее. Но его рука без колебаний преодолела препятствия и уверенно легла на грудь Ли.

Чед ласкал ее, а его глаза гипнотизировали Ли.

— Ты такая мягкая, — прошептал он, — близкая, нежная и... — Ли перестала дышать, когда его большой палец коснулся соска. — О, Ли... — простонал Чед и зарылся лицом в ложбинку между ее обнаженными грудями.

Он целовал ее, словно опаленную нестерпимым жаром, его влажные губы приятно холодили кожу. От прикосновения его заросших щетиной щек у Ли кровь быстрее побежала по жилам. Ее соски набухли от желания.

— Ты тоже хочешь меня?

— Да, да, да, — она не могла думать больше ни о чем другом, кроме всепожирающего желания, которое он разжег в ее теле. Спустя секунду его губы сомкнулись вокруг розового соска.

Он наслаждался им, сначала слегка посасывая, потом лаская языком. Легкие касания словно рисовали замысловатый узор на ее коже. Пальцы Ли вплелись в волосы Чеда, она перебирала послушные пряди, и ей казалось, что она умрет от наслаждения. Чед нащупал полу кафтана Ли, откинул в сторону и уверенно положил руку на колено Ли, постепенно продвигаясь все выше и выше.

— Чед, — простонала она. Он оторвался от ее груди, покрыл легкими поцелуями шею и снова припал к ее губам. Они оба сгорали от желания.

Чед взял ее руку, заставляя расстегнуть пуговицы на рубашке, медную пряжку ремня, опуская ее все ниже, чтобы она почувствовала его возбуждение.

Чед осыпал яростными поцелуями ее лицо, шею, плечи. Он говорил горячо и прерывисто:

— Ли, прикоснись ко мне... Я... Я не хочу причинить тебе боль. Ведь прошло уже много времени после рождения Сары... Я не сделаю тебе больно?

— Нет, нет, — выдохнула Ли, качая головой, движением руки давая ему понять, насколько она доверяет ему.

— Моя дорогая...

И тут зазвонил телефон. Они отпрянули друг от друга.

Чед негромко выругался сквозь зубы. Ли освободилась из его объятий и, спотыкаясь, пошла через комнату к телефону.

— Алло?

— Диллон здесь?

ГЛАВА 4

Ли не сразу поняла, чего хочет от нее этот мужчина.

— Диллон? Чед? — переспросила она.

— Он у вас?

— Да... Одну минуту.

Ли обернулась и увидела, что Чед стоит у нее за спиной. Его взгляд буквально пригвоздил ее к полу. Она почувствовала себя бабочкой, которую прокололи булавкой и пришпилили к картонке. Он взял трубку из ее ослабевшей руки.

— Да, слушаю, — рявкнул он. Чед выслушал ответ, не спуская глаз с Ли. Потом он отвернулся. — Где это? Плохо? — Еще несколько приглушенных ругательств. — Хорошо... Через полчаса.

Чед бросил трубку на рычаг, подошел к дивану, надел сапоги.

— Чед! В чем дело?

— Я должен уйти, Ли. Мне жаль. Мне чертовски жаль.

— Кто это был? Откуда он узнал? Что... Куда ты едешь?

— У меня работа.

— Работа? Но почему такая срочность?

— Это своего рода несчастный случай.

Он надевал плащ, не глядя на Ли.

— Сожалею, что позвонили сюда. Но я был обязан оставить номер, по которому со мной можно связаться. — Чед подошел к ней, растрепанной после их яростных поцелуев. Ее расшитый кафтан распахнулся. Ли обхватила себя руками, прикрывая наготу и как будто защищаясь. Ей вдруг стало страшно. Чед положил руки ей на плечи и притянул к себе.

— Это Саре, — он легко поцеловал ее в щеку. — Сегодня вечером мне не удалось ее увидеть.

— Чед...

— Это тебе, — его объятия стали крепче. Он поцеловал ее с той грубоватой нежностью, которая уже была знакома Ли. — А это мне, — он приподнял ее, прижимая к себе еще крепче. Ли почувствовала его неутоленное желание. Чед целовал ее так, словно хотел запомнить каждую ее клеточку, каждую черту. В его объятиях было какое-то отчаяние. И это встревожило Ли еще больше.

Когда Чед оторвался от нее и поднял голову, ей показалось, что он выпил из нее все жизненные силы, такой Ли ощутила себя слабой и опустошенной. Его глаза пристально изучали ее лицо, запоминая темные брови, синие глаза, яркий, опухший от поцелуев рот, высокие скулы.

Губы Ли дрогнули:

— Чед! Ты ничего не хочешь мне сказать?

— Я позвоню тебе, как только смогу. Как только я вернусь. Возможно, это будет... Я не знаю, как долго меня не будет. Но как только я смогу, я вернусь.

Дверь за ним закрылась. Ли услышала его торопливые шаги по дорожке, хлопнула дверца грузовичка, заурчал мотор, и Чед уехал.

Изумленная, потрясенная, она повернулась, оглядела комнату. Ли показалось, что она никогда не видела ее раньше. Вот стоит диван, где всего несколько минут назад Чед обнимал и целовал ее. А теперь комната опустела. И такая же пустота образовалась в ее сердце.

Много дней Ли пыталась прогнать Чеда из своих мыслей. Но ей это не удавалось. Он все время был рядом с ней — когда она работала, когда играла с Сарой, когда в одиночестве сидела в гостиной и смотрела телевизор, когда лежала без сна в кровати, когда спала.

Может быть, Чед Диллон был врачом? Кто еще бросается из дома по первому зову и оставляет номер телефона, по которому его можно найти? Но у человека, звонившего Чеду, был голос отнюдь не очаровательной девушки из службы переадресовки звонков. Голос принадлежал мужчине, звучал резко и неприветливо. Этот голос только разбудил в Ли тревогу.

А может быть, Чед был преступником? И его предупредил сообщник...

Господи, Ли, ты просто сходишь с ума! Конечно же, никакой Чед не преступник. В этом городе он был слишком на виду, его все хорошо знали.

Ли вспомнила тот день, когда Чед пригласил ее на ленч, вспомнила оживление женщин, улыбки мужчин. Когда Чед привез ее обратно на работу в торговый центр, Ли попыталась выяснить у своих рабочих кое-что о нем. Те явно хорошо знали Чеда Диллона. Но ее вопросы ни к чему не привели. Мужчины становились неразговорчивыми и упрямыми и уверяли ее, что им неизвестно, чем сейчас занимается Чед. Зато все с удовольствием вспоминали, как здорово он играл в футбол.

Наступил День благодарения, и к Ли приехали родители. Они не хотели, чтобы Ли с малышкой пускалась в нелегкое путешествие к ним, в Биг-Спринг.

— Неужели жизнь тебя так ничему и не научила? — раздраженно спросила мать. — Ты родила ребенка на обочине шоссе, тебе помог человек, о котором мы вообще ничего не знаем. Он мог просто бросить тебя там, убить или сделать что-нибудь похуже. Кто знает, в какую переделку ты опять угодишь! А у тебя теперь ребенок! — Миссис Джексон отчитывала Ли так, словно той не исполнилось и пяти лет.

Ли обреченно вздохнула и сдалась. Да, разумеется, лучше будет родителям приехать к ней.

Они привезли с собой индейку и все необходимое для стола. Но Ли ела без всякого аппетита.

— Ты плохо себя чувствуешь, дорогая? — с тревогой спросил ее отец. — Какие-нибудь неприятности на работе?

— Нет, все в порядке, — с деланым оживлением ответила Ли. — Я просто задумалась о том, можно ли будет использовать рождественские украшения в следующем году. Только и всего. — «Лгунья», — тут же осудила она себя. Она думала только о Чеде. Где он проводит День благодарения? И вообще празднует ли он его? И с кем он в эту минуту? Но ни за что на свете она не призналась бы родителям, о чем она думает на самом деле.

Сара капризничала весь день. Ли уже выбилась из сил, пытаясь успокоить малышку.

— Возможно, у нее режутся зубки? — предположила Лоис Джексон.

— Она еще мала для этого, мама.

— У тебя прорезался первый зуб, когда тебе было пять месяцев.

— Может быть, ты и права, — устало согласилась Ли. Ей не хотелось спорить. У нее было только одно желание — узнать, где сейчас Чед и что он делает. — У Сары и животик расстроился.

— Ну правильно. Это верный признак. У Сары точно режутся зубы.

Ли с облегчением вздохнула, когда родители собрались уезжать. Ей легче было в одиночку, пристальное внимание родителей было тягостно. Ли с Сарой отправились спать.

— Ты тоже без него скучаешь? — спросила у дочки Ли, укладывая малышку.

Несмотря на усталость, ей никак не удавалось заснуть. Лежа с широко раскрытыми глазами, Ли рассматривала тени на потолке. Что ей, в сущности, известно о Чеде Диллоне? Судьба свела их при странных обстоятельствах, вряд ли такое часто случается — в современной цивилизованной Америке женщина рожает на дороге, и посторонний мужчина принимает у нее роды. Потом он снова появляется в ее жизни, а она ничего не знает ни о нем самом, ни о его семье...

Ли резко села в постели. Семья! А что, если он женат? Вдруг он ей лгал с самого начала или успел жениться за те четыре месяца, что прошли после рождения Сары? Может быть, ему поэтому и позвонили — чтобы предупредить. Его жена могла узнать о начавшемся между ними романе...

Нет, похоже, семейные дела здесь ни при чем. Этот телефонный звонок определенно был вызван какой-то необходимостью. Может быть, несчастный случай? Его жена попала в аварию. Чед спрашивал: «Где?», «Плохо?» Наверное, так и есть. Его жена и четверо или трое детей попали в ужасную аварию.

«Нет, нет, не глупи», — одернула себя Ли и снова легла. Чед не женат. Она чувствовала это. Но она так много хотела узнать о нем. Чем он занимается? Где живет? Почему он ждал четыре месяца, прежде чем появиться у нее?

И ее мысли все время возвращались к тем сладостным минутам, которые прервал телефонный звонок. Чед целовал ее, ласкал, как ни один другой мужчина. Как бы Ли ни винила себя, она не могла не признать, что Чеду удалось разжечь в ней чувства и желания, доселе совершенно ей незнакомые. Грегу никогда не удавалось довести ее до такого возбуждения.

Ли металась по постели, пытаясь найти удобное положение. Но она слишком хорошо помнила прикосновение его чутких пальцев, его поцелуи, помнила, как Чед сдерживал себя, пока не понял, что ее возбуждение так же велико. Его руки, такие дерзкие и опытные, доводили ее до исступления. Чед потрясающе целовался, Ли понимала, что за этим стоит богатая практика, но она чувствовала, что Чед искренне хотел доставить ей наслаждение. Он не торопил, не подгонял ее, он ждал ее реакцию, чувствовал ее и отвечал на ее порывы. Даже наивность Ли не мешала ей понять, что Чед знал многих женщин...

Стоило ли удивляться, что он так популярен среди женского населения города? И крошка Сара, и старушка миссис Ломакс, и официантка Сью — никто в ресторане не обошел Чеда своим вниманием. Несомненно, Чед принадлежит к числу тех мужчин, которые любят женщин. Он был уверенным в себе и чувственным. Он знал, как произвести впечатление, зацепить женщину и привязать к себе. И она тоже попалась на его обаяние.

Ли застонала, вспоминая прикосновения его горячих губ, его чувственный волнующий голос, его дерзкие ласки, которые лишали ее разума. Больше всего на свете ей хотелось быть с ним, чувствовать тяжесть его тела, ощутить, как его сила наполняет ее лоно...

Боже, да что же это с ней такое? Она самостоятельная, практичная, разумная женщина. Подумать только, до чего она дошла! Она справилась со своим горем, смогла наладить свою жизнь, одна растила дочку. Она твердо обещала родителям, что сама преодолеет все трудности. Нет, она не может позволить эротическим фантазиям о мужчине, с которым едва знакома, разрушить ее жизнь!

Повторяя эту фразу снова и снова, Ли безуспешно пыталась уснуть.

— Вот мой вариант оформления, — сказала Ли членам комитета. — У каждой улицы будет своя тема. На одной улице елки будут украшены только шарами, на другой — исключительно бантами, на третьей — колокольчиками и так далее. Поставщик из Далласа готов предоставить нам все материалы. Везде будут использованы только красный, белый, золотой и серебряный цвета. Если кто-то захочет выставить у своего дома фигуру Санта-Клауса, или оленя, или ангела, это не возбраняется. Все улицы сходятся у церкви. Там мы разместим вертеп. Вы представляете, как это будет выглядеть?

Пять человек дружно кивнули. Комитет собрался во вторник после Дня благодарения, чтобы решить, как надеялась Ли, раз и навсегда, как жители квартала будут украшать свои роскошные дома к Рождеству. Так как члены комитета никак не могли прийти к согласию, Ли решила предложить свой вариант, который можно было бы осуществить без особых проблем.

— Мы также украсим фасады домов, границы участков и деревья белыми лампочками. Это просто, но красиво. Но вы должны высказать свое мнение об этом сегодня.

Мистер Пэтбут, которому явно не терпелось побыстрее покончить со всем этим, решительно провозгласил:

— Я согласен, и давайте на этом закончим.

— Но это как-то уж слишком скромно, — подала голос внушительного вида дама.

— Я сразу так и сказала, — не стала возражать Ли, хотя ей хотелось взвыть от отчаяния. Но она получила бы за этот проект приличную оплату, поэтому ей нужно было следить за собой и не давать волю своему острому языку. — Если бы мы начали работать раньше, мы бы могли позволить себе нечто более изысканное. На следующий год нам придется начать планировать все еще в сентябре. Но я уверена, что это оформление будет отлично смотреться. В нем есть и единство замысла, и индивидуальный образ каждой улицы. А дополнительное освещение сделает квартал самым приметным местом в городе.

— Когда же вы сможете начать работы? — спросил нетерпеливый Грегори Пэтбут.

Ли прекрасно знала, что у этих людей нет проблем с деньгами.

— Я могу попросить поставщика прислать все самолетом. Если я позвоню ему сегодня, то в четверг все будет доставлено. Тогда закончить работу можно будет уже в эти выходные. Вы хотите, чтобы я наняла электриков, или предпочитаете сделать это сами? Люди, которые работают со мной в торговом комплексе, я надеюсь, не откажутся от дополнительного приработка к Рождеству. А я, со своей стороны, могу им дать самые лучшие рекомендации.

— Отлично, — заявил мистер Пэтбут. — Вы избавите нас от лишних хлопот.

— Ну что ж, тогда мне останется лишь спросить, все ли готовы одобрить этот проект?

— Полагаю, что все, — ответила хозяйка роскошного дома миссис Хэзлчейз. — Мы уже побеседовали практически со всеми владельцами домов в нашем квартале. Все они готовы принять ваши предложения. Вот только с Чедом не удалось увидеться.

— Он просто неуловим, — неодобрительно заметил мистер Пэтбут, — я слышал, он снова в Мексике.

При упоминании имени Чеда ручка Ли, которая быстро бегала по ее блокноту, замерла. Ли напряглась, сердце ее бешено забилось. «Не хватало еще покраснеть, как девчонке-школьнице», — со страхом подумала она.

— Еще один ужасный пожар, как я слышал, — продолжал мистер Пэтбут.

— Пожар? — как можно спокойнее переспросила Ли. Неужели эти люди говорят о Чеде Диллоне?

— Да. Владелец одного из домов в нашем квартале работает на «Фламеко».

— «Фламеко»?

— Вы никогда не слышали о «Фламеко»? — удивился мистер Пэтбут.

— Нет, — покачала головой Ли. — Я ведь не так давно живу здесь.

— Эта компания известна по всей стране. Ее штаб-квартира находится у нас, в Мидленде. Эти парни занимаются тушением пожаров на нефтяных скважинах. Такая вот работенка!

От страха Ли не могла произнести ни звука. Она лишь медленно кивнула. Возможно, это не ее Чед. В конце концов, у него не такое уж необычное имя.

— Мне кажется, Диллон на них работает с того времени, как окончил колледж. Сколько уже лет прошло? В каком году Чед кончил колледж, не помните? Я все вспоминаю, как классно он играл в футбол. Черт побери, и почему этот парень не стал профессиональным футболистом! — Мистер Пэтбут заметно оживился. Он явно обрадовался, что может поговорить на любимую тему. Тема украшения квартала к Рождеству занимала его гораздо меньше.

Ли резко поднялась со своего места. Сумка, которая лежала у нее на коленях, упала со стуком на пол. Ли пришлось присесть на корточки и собрать ее содержимое, рассыпавшееся по полу. Руки у нее дрожали. Не поднимая головы, Ли сказала:

— Если мы обо всем договорились, то я могу уже приступать к работе. Не хочется терять время. Я буду вам звонить, но планируйте свои дела таким образом, чтобы мы могли, если будет необходимо, встретиться еще раз в эти выходные.

Ноги ее не слушались. Ли медленно вышла из помещения комитета и прислонилась к стене, пытаясь справиться с волнением. Только этого не хватало! Чед в Мексике, сражается с пожаром на нефтяной скважине. Работа невероятно опасная. А Чед — настоящий профессионал. О господи, за что ей это!? История с Грегом повторяется!

Ли оттолкнулась от стены и медленно побрела по дорожке. Мысли в ее голове набегали одна на другую, путались. Она никак не могла успокоиться. И вдруг Ли невесело рассмеялась. Такие специалисты, как Чед, получают целую кучу денег. Он — свой среди этих богачей, а она-то, дура, приняла его за механика, у которого частенько не бывает постоянной работы. А Чед и не разубеждал ее. Ее тревога за него сменилась обжигающим гневом.

Ли резко распахнула дверцу машины, с шумом захлопнула ее за собой и тронулась с места. Она была вне себя от ярости. Ли ехала мимо богатых особняков, старательно избегая смотреть по сторонам. Ей наплевать на то, какой из них принадлежит человеку, обманувшему ее. Нет, он не обманывал ее, просто он не сказал ей правды.

Слезы унижения и обиды текли по ее щекам. Будь он проклят! Он обнимал ее, целовал, а потом сбежал, чтобы тушить этот проклятый пожар. Это же настоящий ад на земле! Он оставил ее в такую минуту и бросился туда, где его подстерегала опасность, а может быть, даже и смерть...

Ли уже рыдала, когда машина остановилась на красный сигнал светофора. Чед наверняка предполагал, как она отнесется к его работе, поэтому намеренно все скрыл. Он сумел войти в ее жизнь, в ее душу и добился того, что она тоскует без него, да нет — мучается... Конечно, Чед не мог не понимать, что Ли никогда не приняла бы его, если бы знала, какая у него опасная работа. Ее грустная история была отлично известна ему, и Чед не захотел рисковать.

— Ненавижу его за то, что он мне солгал. Ненавижу его, — процедила Ли сквозь стиснутые зубы.

Но повторяя эти слова снова и снова, она понимала, что лжет самой себе. Ей было больно признать правду, но она заявляла о себе каждой слезинкой, сбегавшей по ее щеке. Правда была в том, что она полюбила Чеда Диллона. И ничего не могла с этим поделать.

Ему хватило одного взгляда на ее чужое, замкнутое лицо, и Чед все понял.

— Ты все узнала, да?

— Да. — У нее была неделя, чтобы сотню раз обдумать все то, что она узнала о Чеде, но ее гнев и обида все еще жили в ее сердце.

— Я могу хотя бы войти? — спросил он.

— Не стоит, Чед...

Чед нервно мял в руках поля своей ковбойской шляпы.

— Я так боялся, что ты обо всем узнаешь раньше, чем я сам тебе расскажу. — Он посмотрел на нее. В его синих глазах была тревога. — Я собирался сам рассказать тебе обо всем, Ли. Увы, опоздал...

— Неужели? И когда же?

— Черт побери, я же знал, как ты отнесешься к мужчине, у которого такая опасная работа...

— И ты был прав. И я была бы тебе очень благодарна, если бы ты ушел.

— Я никуда не уйду, пока мы не поговорим, — не отступал Чед.

— Ты намерен наговорить мне еще кучу лжи?

— Я никогда не лгал тебе.

— Но ты ни разу не сказал мне правды.

— Пожалуйста, позволь мне войти.

Неохотно Ли отступила в сторону, давая Чеду возможность войти в дом. Она не показала Чеду своего облегчения, когда увидела его целым и невредимым. Диллон выглядел просто великолепно. Волосы он так и не подстриг, но по крайней мере они были причесаны. Загорелая кожа отливала бронзой. Ну конечно, мексиканское солнце. Он был одет просто — джинсы, рубашка, сапоги, но ему шла любая одежда.

Ли с неодобрением взглянула на собственные джинсы. Даже после стирки на них остались пятна — это Ли с азартом разрисовывала стену в комнате Сары. Джинсы давно уже потеряли вид и заметно сели после множества стирок. Красный свитер, который она так любила надевать, когда была дома одна, растянулся и висел на ней мешком. Ли была босиком. Весь день она проходила со строгой прической и, как только переступила через порог, немедленно распустила волосы. И теперь непокорные пряди свободно падали на ее плечи. Но Ли и не подумала извиняться за свой внешний вид, как непременно сделала бы раньше. Это Чед должен объясняться, а не она.

— Где Сара? — спросил Чед, чтобы прервать затянувшуюся паузу.

— Спит. — Ли намеренно отвечала односложно.

— Уже? Еще нет и пяти часов.

— Она всегда немного спит перед ужином. Последнее время она часто капризничает. Мама считает, что у нее режутся зубы.

— Ты много работала?

— Да. — Ответ прозвучал сухо. Ли села на диван. Чед присел на краешек стула и положил шляпу на колено. — Ты, может быть, знаешь, что в прошлые выходные я украшала твой дом к Рождеству. — В голосе молодой женщины послышались ядовитые нотки: — Шикарный дом! Я просто потрясена.

— Украшения тоже очень красивые, — натянуто ответил Чед, и Ли с удивлением уловила раздражение в его голосе.

— Спасибо. Я признательна тебе за то, что ты разрешил электрикам зайти внутрь.

— А ты сама заходила внутрь?

— Нет.

— Мне бы хотелось, чтобы ты увидела мой дом.

— Что ты говоришь?! Тогда почему же ты не пригласил меня в гости? — резко бросила она. — Почему я должна была узнать о тебе, о твоей работе, о твоем доме от посторонних людей, а не от тебя?! — Ли почувствовала, что начинает заводиться, и тут же одернула себя. У нее нет на это никакого права. Разве Чед принадлежит ей? Сколько раз они встречались? Один раз он пригласил ее на ленч. Дважды был у нее дома. Вот, собственно, и все. По какому праву она требует от него ответа? Ли решила, что как бы не было ей обидно, она не должна вести себя как привыкшая пилить мужа жена. Отчитывать его, злиться, копить обиду — это было выше ее сил.

Ли закрыла лицо руками.

— Прости, Чед. Я не знаю, что говорю! Разве я могу сердиться на тебя, предъявлять претензии? Ведь нас ничего не связывает, у нас даже не роман.

— Ошибаешься. Нас многое связывает. — Руки Ли упали, и она посмотрела на Чеда — прямо и отважно. Их глаза встретились. — Я собирался рассказать тебе о моей работе в тот самый день, когда впервые приехал сюда. Я же знал, что тебе это не понравится. Да и какая нормальная женщина будет счастлива, узнав, что близкий ей человек постоянно рискует жизнью? Но когда ты заговорила о Греге, я понял, насколько ты не приемлешь все то, что связано с риском, с опасностью. И я могу тебя понять.

Чед встал с кресла, бросил шляпу на журнальный столик, опустился на колени рядом с Ли и заключил ее руки в свои.

— Ли, позволь мне все объяснить. Я не хотел обрушивать на тебя все сразу. Я должен был дать тебе время узнать меня получше, привыкнуть ко мне. Если бы все пошло хорошо, если бы у нас начался роман, как ты это называешь, я бы обязательно обо всем рассказал тебе. Мне не хотелось говорить ничего такого, что могло бы настроить тебя против меня.

— Ты поступил нечестно, Чед.

— Нет! Мое единственное оправдание в том, что я очень хотел тебя. И сейчас хочу. — Он взял прядь ее волос и поднес к губам. Не сводя глаз с Ли, Чед провел шелковистым локоном по губам. — Пока я работал, я думал только о тебе — как ты говоришь, как смеешься, как выглядишь, как замечательно пахнешь. Я вспоминал твой вкус, Ли. Я думал о том, как твои губы отвечают мне, как мои губы, мой язык касаются твоей нежнейшей кожи.

«Если он дотронется до меня, я пропала», — в отчаянии подумала Ли. Даже теперь, зная, чем он занимается, помня, что она поклялась никогда больше не связываться с мужчиной опасной профессии, для которого работа важнее всего на свете, не забывая о том, что Чед лгал ей, Ли была не в состоянии противиться себе — ей хотелось зарыться пальцами в его волосы, ощутить его крепкие мускулы под загорелой кожей, коснуться губами его груди, опускаться все ниже, не сдерживая, не останавливая себя, преодолевая смущение...

Отчаянный плач Сары вырвал Ли из океана желания, который медленно и неотвратимо поглощал ее.

— Сара, — сказала она, хотя в этом не было никакой необходимости. Чед поднялся и сделал шаг в сторону. Ли бросилась в спальню. Она торопилась не столько из-за девочки, сколько из-за себя самой. Она не должна любить Чеда Диллона. И она не будет!

— Что случилось, что такое? Почему мамино солнышко плачет? — ворковала Ли, переворачивая малышку на спину.

— Сара так подросла, — раздался голос Чеда у нее за спиной. Он тоже нагнулся к кроватке, и его бедро коснулось плеча Ли. И это прикосновение недвусмысленно дало ощутить Ли всю силу его желания. Одной рукой Чед оперся о край колыбели, и Ли оказалась в ловушке.

— Да, она выросла. — Молодая женщина слышала, как смятенно звучит его голос. — Мне давно пора укладывать малышку спать в кроватке в ее комнате, а не здесь в колыбели рядом со мной. Я хотела попросить отца собрать кроватку, когда они были у нас в последний раз, но в хлопотах совершенно забыла это сделать. — Ли не стала говорить Чеду, чем на самом деле были заняты в те дни ее мысли.

— Я могу это сделать, почему же ты раньше не сказала мне?!.

Ли сменила Саре памперс. Девочка не плакала, хотя ее мать заметно нервничала, отчего ее движения были резкими и неловкими. Ли вынула малышку из колыбели и повернулась в том небольшом пространстве, что оставил ей Чед.

— Я не могу просить тебя об этом, Чед.

— Ты и не просила, я сам вызвался. Так где стоит кроватка?

— Во второй спальне. Она все еще упакована в

коробку, — крикнула Ли ему вслед — Чед уже выходил из комнаты.

Когда Ли с Сарой на руках вошла во вторую спальню, Чед задумчиво разглядывал длинную плоскую конструкцию, извлеченную из коробки.

— И это детская кроватка? — со смехом спросил он.

— Видишь, я же тебе говорила. Это довольно сложно и...

— У тебя есть набор инструментов или хотя бы отвертка? Впрочем, не важно, у меня в пикапе все есть.

— Чед, в самом деле, не стоит...

Чед не дал ей договорить. Поцелуй Чеда был быстрым, яростным и жадным. Ли показалось, что земля качнулась у нее под ногами. Ли прижала к себе дочку, боясь выронить ее из ослабевших рук.

— Вот оно. Я нашел верный способ тебя успокаивать. Если ты приготовишь мне сандвич и чашку кофе, это будет щедрой платой за работу. Заметь, я не прошу большего. — Он поцеловал Ли еще раз, на этот раз в лоб, как капризного ребенка, потом отстранил и отправился за инструментами.

Кипя от негодования, Ли пошла на кухню. Но что ей делать? Не выгонять же Чеда, в конце концов? Она уложила Сару в корзинку на полу, чему девочка явно очень обрадовалась. Ли едко улыбнулась. Он просто не представляет, что его ожидает! Когда молодая женщина услышала, как Чед задорно насвистывает, возвращаясь в дом, это только подлило масла в огонь. Ли просто рассвирепела.

— Он врывается сюда и распоряжается как у себя дома. Можно подумать, это его дом. А это не так. Это мой дом. Мы сами справимся, Сара. Мне не нужен ни он, ни кто-либо другой, и я прямо скажу ему об этом, как только он закончит собирать твою кроватку. А пока пусть помучается!

Сара захлопала в ладоши, будто поняла все, что сказала ее мать, и отнеслась к ее словам с радостным одобрением.

Чед не говорил ей правды, и Ли рассердилась. Но когда он снова появился у нее на пороге, она буквально упала в его объятия и ответила на его поцелуй. Такова была истина.

— Сара, ну что же мне делать? — простонала Ли. Девочка ответила ей веселым смехом.

Ли поставила на поднос тарелки с холодным мясом и с ломтиками сыра, достала из хлебницы ржаной и пшеничный хлеб и сварила кофе. Потом поискала, что есть еще вкусненького в холодильнике, нашла оливки и маринованные огурчики. Она вспомнила про печенье и чипсы, хотя этот синеглазый наглец совершенно не заслуживал такой заботы. Ли наполнила тарелку с подогревом овощным пюре для Сары и включила ее в розетку. Когда все было готово, она направилась к маленькой спальне, чтобы позвать Чеда.

Но вместо того, чтобы голосом армейского сержанта рявкнуть «кушать подано», Ли расхохоталась: Чед сидел на полу, сложив ноги по-турецки, окруженный шурупами, болтами и гайками, деревянными перекладинами и кипой инструкций по сборке кровати.

— Тебе это кажется смешным? — воинственно поинтересовался он. — Что за кретин сочинял все эти инструкции? Чтобы их понять, надо быть либо идиотом, либо гением. Я не очень уверен, кем именно.

— Возможно, еда подстегнет твой мыслительный процесс.

— Звучит отлично! — Чед с радостью вскочил на ноги.

— Не жди слишком многого, — предупредила Ли весьма нелюбезно, ведя его в обеденный уголок, прилегающий к кухне. — Я, как ты понимаешь, не ждала сегодня гостей, — добавила она для пущей строгости.

Вдруг Ли чуть не споткнулась — это Чед схватил ее за пояс джинсов и резко потянул назад. Его губы оказались у самого ее уха:

— Я заставлю тебя порадоваться тому, что ты сегодня вечером не одна, — прошептал он с чувством.

Ли высвободилась из его объятий и поправила свитер, в тщетной надежде показать, что ее это нисколько не трогает. Ее лицо пылало от возмущения. Грудь вздымалась и опускалась. К тому времени, как Ли придумала ответ, Чед уже ел свой первый сандвич.

Он уплел два сандвича, проглотил пакет чипсов, немалое количество маринованных огурчиков и оливок и шесть штук печенья, а Ли только-только дошла до половины сандвича. Она еще кормила Сару, на которой и было сосредоточено все ее внимание.

— Давай я докормлю ее, а ты поешь, — предложил Чед.

— Нет уж, я сама, — холодно ответила Ли. — Боюсь, Сара не станет у тебя есть.

— Я наблюдал за тем, как ты это делаешь. Думаю, я справлюсь. — Чед взял у нее ложку, и Ли окончательно стало ясно, что мистер Диллон не принимает «нет» в качестве ответа.

У него на удивление хорошо все получилось. Только одна ложка овощного пюре оказалась не во рту у Сары, а на его блестящем сапоге.

— Я на тебя совсем не в обиде, Сара, — добродушно прокомментировал это событие Чед, вытирая малышке рот. — Ты еще молодец, я бы ни за что не стал есть эту гадость.

Ли совсем не хотелось, чтобы Чед был таким остроумным, веселым и приятным в общении. Ей было бы куда легче, если бы он злился и брюзжал. Если бы рявкнул как следует. Ли совсем не нравилось, что он чувствует себя в ее кухне совершенно свободно и мешается у нее под ногами, пока она моет и убирает посуду. И почему это Сара так мило с ним курлыкает и смеется? Ведь она так редко видит Чеда. И Ли вдруг поймала себя на том, что обиделась на девочку. «Это уж слишком!» — сказала она себе.

— Что ж, пора снова приниматься за работу. — Чед передал Сару матери и отправился в спальню, где его ждала так и не собранная детская кроватка. Сара недовольно захныкала.

— Предательница, — прошептала Ли, унося девочку в спальню, чтобы уложить ее в постель.

«Он был с тобой мил, но это ничего не меняет», — напомнила себе Ли. Сегодня вечером он здесь. А что будет завтра? Что будет на следующей неделе, когда его снова вызовут бороться с огнем на нефтяной скважине в любой точке мира и никто не будет знать, когда он вернется? Ты хочешь еще раз пережить все это, Ли? Увы, она знала ответ на этот вопрос.

Спустя полчаса Ли вышла из спальни и заглянула в открытую дверь.

— Не могу поверить, — изумленно воскликнула она с порога.

Сидя на полу, Чед повернул к ней голову и отрапортовал:

— Все готово, осталась самая малость. — Еще один поворот отвертки, и он встал и потянулся, разминая затекшие мускулы. — Ну, скрести пальцы на удачу.

Чед проверил рычажок, регулирующий высоту перекладины с одной стороны кроватки, и сам с удивлением наблюдал, как действует механизм.

— Черт меня подери, а ведь работает, — рассмеялся Чед.

— Теперь в этой комнате не хватает только ребенка, — заметила Ли.

Чед посмотрел на кроватку, на кресло-качалку с удобными подушками, на занавески на окнах и на забавные фигурки малышей — девочки и мальчика, — которые Ли нарисовала на стене.

— Я думаю, что ты права. Где она?

— Сегодня Сара будет спать на своем обычном месте.

— А ты уверена, что хочешь перевести дочку в другую комнату? — Чед тонко угадал ее настроение.

— Нет, — призналась Ли. — Я ненавижу спать од... — Ее взгляд метнулся к его лицу, чтобы понять, заметил ли он ее оплошность. Чед заметил. Он сделал два широких шага, оказался рядом с ней и положил свои сильные руки ей на плечи.

— Ты не должна спать одна, Ли. Ни этой ночью и никогда больше.

Его руки представляли для нее самую большую опасность, и тем не менее в его объятиях Ли чувствовала себя в полной безопасности. Чед попытался поцеловать ее, но она стиснула губы и отчаянно замотала головой.

Но ее сопротивление не обескуражило Чеда. Когда Ли не ответила на его поцелуй, Чед легко приподнял ее просторный свитер. Он не желал сдаваться и ласкал ее соски. И Ли против своей воли ответила ему, издав страстный возглас, чем Чед не преминул воспользоваться.

Их поцелуй стал доказательством того, как отчаянно они хотят друг друга, как нуждаются друг в друге. Пальцы Чеда коснулись кружевной чашки бюстгальтера и пробрались внутрь. Он ласкал ее, восхищался ею, любил ее.

— Ты хочешь меня так же сильно, как я хочу тебя, Ли. Черт побери, тебе не удастся меня обмануть, — прошептал он ей на ухо. Кончик языка коснулся мочки ее уха, потом Чед мягко прихватил мочку зубами и легко сжал. Ли вздрогнула, по спине у нее побежали мурашки, и она сдалась. С ее губ сорвался глубокий вздох. Но Чед не собирался щадить ее. Он так неторопливо и томительно долго целовал ее, что Ли подумала, что сейчас умрет, если не получит его целиком.

Она не помнила, как обняла его, выгнулась ему навстречу, давая волю своему желанию. Ли не сознавала, что делает. Она только почувствовала, как их тела слились, став одним целым, совпав, словно части рассыпанной головоломки. Но было уже слишком поздно. Разум уступил место чувствам. Она потерлась грудью о ладонь Чеда. Ее сосок стал твердым словно маленький камешек.

Его язык забрался в ее рот, ощущая его тепло и влагу.

Чед расстегнул ей лифчик, и налитая красивая грудь Ли предстала перед его глазами. Она потянула рубашку из его джинсов и запустила руку под нее, лаская упругие мускулы, а потом робко коснулась волос на груди.

— Господи, Ли, я должен любить тебя. Ты же видишь сама. — Его руки лежали у нее на плечах, Чед нежно, но непреклонно принуждал ее лечь на ковер. Но наткнулся на отчаянное сопротивление.

В голове Ли зазвенели сигналы тревоги. Ситуация грозила перерасти в катастрофу. Для Ли секс оставался неотъемлемой частью серьезных отношений. Если она полюбит Чеда, то никогда не сможет отпустить его от себя. Он может войти в ее жизнь и остаться в ней только в том случае, если он будет с Ли всегда.

— Нет, Чед, — в ее глазах появилось страдальческое выражение. — Нет.

— Но почему, Ли? — он, отстранившись, с отчаянием провел рукой по волосам. — Почему? Это просто безумие — говорить «нет», когда мы оба так отчаянно хотим близости. Ты же знаешь это так же хорошо, как и я.

Его уверенность раздосадовала Ли, развеяла остатки чувственного тумана, в котором она пребывала. Все сразу стало на свои места. Она отказала Чеду, подавила собственные чувства, и это сводило ее с ума.

— Да, я сумасшедшая, — крикнула Ли, — но мое безумие в том, что я позволила тебе снова переступить порог этого дома после того, как ты обманул меня.

— Я не обманывал тебя, когда целовал.

— Неужели? Разве ты таким образом не пытался подготовить почву, воспользоваться моими чувствами одинокой женщины, приручить, а потом объявить о том, насколько опасна твоя профессия? Подумать только — я доверилась тебе, была готова просить тебя остаться, а ты все время лгал мне. Это отвратительно.

От ярости у Чеда на скулах заходили желваки.

— А теперь кто же кого обманывает, а? Ты обманываешь сама себя! Ты ведь, кажется, не испытывала отвращения, когда мы ласкали друг друга на твоем диване? Ты наслаждалась каждым мгновением. И несколько минут назад я тоже не казался тебе отвратительным. Если бы ты позволила событиям идти своим чередом...

— Конечно, тебе виднее, у тебя большая практика, — холодно остановила его Ли.

Чед какое-то мгновение смотрел на рисунки, недавно сделанные Ли на стене, бормоча ругательства. Он снова повернулся к Ли и со вздохом сказал:

— Мне следовало с самого начала рассказать тебе, как я зарабатываю на жизнь. Я прошу прощения за то, что скрывал это от тебя. Но, поверь, никакого хитрого умысла у меня не было. Мы слишком мало знаем друг друга.

— Ты достаточно хорошо узнал меня, чтобы скрывать это от меня! — горячо ответила Ли.

— Но ты не была готова принять правду!

— Я никогда не буду к этому готова.

— А может, стоит попробовать?

— Я уже один раз попробовала. И ты знаешь, что из этого вышло. Моего мужа застрелил подросток, накачавшийся наркотиками. Он оставил меня вдовой, а мою дочь сиротой. Я больше не желаю рисковать, я просто боюсь, Чед!

— Подумай о том, как нам хорошо вместе. Вспомни о наших поцелуях, о наших ласках, а потом скажи, что ради этого не стоит даже пытаться.

— Нет, не стоит! Я же сказала тебе!

— Ты просто трусиха!

— Именно так! Об этом я и пытаюсь сказать тебе. Я не хочу демонстрировать свою храбрость каждый раз, когда ты будешь отправляться на задание. Я так уже жила. Но больше я так жить не хочу. Никогда. Нам лучше остановиться сейчас, пока еще ничего не началось. Прошу тебя, Чед, уходи. Я не могу больше с тобой встречаться.

В комнате повисла тишина. Они оба не могли поверить этим словам, которые только что произнесла Ли. Она и сама не понимала, как решилась сказать такое.

Когда зазвонил телефон, Ли выбежала из комнаты. Это был очень подходящий предлог, чтобы скрыться от пронзительного взгляда Чеда.

— Алло! Я слушаю...

— Это Ли?

— Да-да, это я!.

— Говорит Амелия Диллон, я мать Чеда. Мой сын у вас?

— Да, он здесь, миссис Диллон. — Интересно, он всему городу сообщил о том, что направляется к ней в гости? — Подождите, пожалуйста, минутку, он сейчас возьмет трубку.

— Нет-нет, — поторопилась остановить ее женщина. — На самом деле я хотела поговорить с вами. Чед звонил нам, когда сегодня днем вернулся из Мексики, и предупредил, что проведет вечер у вас дома. — Ли вцепилась в трубку так, что даже суставы пальцев побелели. Этот негодяй был настолько в ней уверен! Он все принимает как должное! — Я хотела пригласить вас вместе с Сарой, — продолжала мать Чеда, — к нам на обед в это воскресенье. Мы собираемся наряжать рождественскую елку. Может быть, вы присоединитесь к нам? Чед так много рассказывал о вас, что нам просто не терпится познакомиться с Сарой и, конечно, с вами. Представить только, что мой сын принимал роды на обочине шоссе, и все это происходило в кузове его ужасного грузовика!

Амелия Диллон сразу же понравилась Ли, но молодая женщина не считала, что может провести с Чедом и его семьей целый день. К тому же она только что заявила ему, что больше не собирается с ним встречаться. Как же ей отказаться от приглашения и не обидеть при этом миссис Диллон? Ли не приходило в голову ничего подходящего.

— Спасибо за приглашение, миссис Диллон. Звучит заманчиво.

— Мы будем вам очень рады. До встречи в воскресенье, Ли. Попросите, пожалуйста, Чеда, не лихачить по дороге домой.

Ли положила трубку и медленно повернулась. Чед вошел следом за ней в гостиную.

— Звонила твоя мать. Она пригласила нас с Сарой на обед в следующее воскресенье. Мы будем наряжать рождественскую елку. И еще она просила тебя не изображать из себя автогонщика.

— Для моей мамы обед означает ленч. Я заеду за тобой в половине двенадцатого. — Предупреждение о том, что ему не следует ехать слишком быстро он просто пропустил мимо ушей.

Прежде чем Ли успела возразить или отказаться, Чед с грохотом захлопнул за собой входную дверь.

Литературно-художественное издание

Сандра Браун

ТРУДНЫЙ ВЫБОР

Редактор *А. Шилина*
Художественный редактор *Е. Савченко*
Технический редактор *Н. Носова*
Компьютерная верстка *Л. Панина*
Корректор *Е. Сахарова*

Налоговая льгота — общероссийский классификатор
продукции ОК-005-93, том 2; 953000 — книги, брошюры.

Подписано в печать с готовых диапозитивов 15.09.2000.
Формат 84×108 $^1/_{32}$. Гарнитура «Таймс».
Печать офсетная. Усл. печ. л. 16,8. Уч.-изд. л. 11,03.
Тираж 7000 экз. Заказ 5750.

ЗАО «Издательство «ЭКСМО-Пресс»
Изд. лиц. № 065377 от 22.08.97
125190, Москва, Ленинградский проспект, д. 80, корп. 16, подъезд 3.
Интернет/Home page — www.eksmo.ru
Электронная почта (E-mail) — info@ eksmo.ru

Книга — почтой:
Книжный клуб «ЭКСМО»
101000, Москва, а/я 333. E-mail: bookclub@ eksmo.ru

Оптовая торговля:
109472, Москва, ул. Академика Скрябина, д. 21, этаж 2
Тел./факс: (095) 378-84-74, 378-82-61, 745-89-16
E-mail: reception@eksmo-sale.ru

Мелкооптовая торговля:
Магазин «Академкнига»
117192, Москва, Мичуринский пр-т, д. 12/1
Тел./факс: (095) 932-74-71

ООО «Унитрон индастри». Книжная ярмарка в СК «Олимпийский».
г. Москва, Олимпийский проспект, д. 16, метро «Проспект Мира».
Тел. 785-10-30. E-mail: bookclub@cityline.ru

Дистрибьютор в США и Канаде — Дом книги «Санкт-Петербург»
Тел.: (718) 368-41-28. **Internet: www.st-p.com**

Всегда в ассортименте новинки издательства «ЭКСМО-Пресс»:
ТД «Библио-Глобус», ТД «Москва», ТД «Молодая гвардия»,
«Московский дом книги», «Дом книги на ВДНХ»

ТОО «Дом книги в Медведково». Тел.: 476-16-90
Москва, Заревый пр-д, д. 12 (рядом с м. «Медведково»)

ООО «Фирма «Книинком». Тел.: 177-19-86
Москва, Волгоградский пр-т, д. 78/1 (рядом с м. «Кузьминки»)

ГУП ОЦ МДК «Дом книги в Коптево». Тел.: 450-08-84
Москва, ул. Зои и Александра Космодемьянских, д. 31/1

АООТ «Тверской полиграфический комбинат»
170024, г. Тверь, пр-т Ленина, 5.

ГЛАВНОЕ РАДИО СТРАНЫ

РАДИО РОССИИ

ПЕРВАЯ ПРОГРАММА ПРОВОДНОГО РАДИОВЕЩАНИЯ

ЧАСТОТЫ В МОСКВЕ :
СВ 873 кГц; 343,6 м
ДВ 261 кГц ; 1149 м
УКВ 66,44 МГц

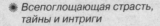